新潮文庫

他人と深く関わらずに生きるには

池田清彦著

新潮社版

7932

はじめに

一九九〇年に狂乱のごときバブル経済が崩壊して以来、日本はデフレと消費不況の泥沼にはまり込んで、杳《よう》として抜け出せる気配がない。そもそも、数年で土地や株の値段が二倍にも三倍にもなるなんて、正気の沙汰《さた》ではなかったのだけれども、みんなではしゃいでいる時は、地に足がつかずに有頂天になっていたのだ。コケたらコケたで、みんなでショボンとなってしまうとは、何かちょっとなさけない。

特にバブル経済の主役だった、現在四十〜六十歳代の男性には元気がない人が多いみたいだ。バブルがはじけて以来、日本の自殺者数はうなぎ登りに増加して、二〇〇一年には三万一千人強になった。そのうちの七割は男性である。年齢別にみると、四十〜六十歳代の人が七十五パーセントを占める。

たとえ膨大な借金をかかえていようと餓死するわけではないのだから、自殺をするなんてもったいない、と私は思う。世間の重圧に耐えかねて自殺を選ぶ人が多いのだろう。確かに世間は生きるためには重要かも知れぬが、そのために死ぬのはアホくさい。イザとなったら、世間など屁《へ》のようなものだと思えばよいではないか。

他人と余り深く関わって生きていると、首尾よくいっている時はよいのだけれど、イザとなった時に転向がきかず、自殺せざるを得ないハメになるのかもしれない。そうかといって、他人と全く関わらずに生きるのは、自給自足の生活でもしない限り不可能であろう。そこで、したたかにしなやかに生きるには、他人と深く関わらずに生きる、のがベストということになる。

世界に目を転じると、あのいまわしい二〇〇一年九月十一日のテロ以降、世界は益々、原理主義への傾斜を強めているようにみえる。原理主義とは、他人に自分の考えを押しつけて恬《てん》として恥じない、という思想だから、他人と深く関わらずに生きる、こととは水と油ほどの違いがある。二つの異なる原理主義がぶつかれば、最後はどうしたって戦争ということになってしまう。

他人と深く関わらずに生きる、とは自分勝手に生きる、ということではない。自分も自由に生きるかわりに、他者の自由な生き方も最大限認めるということに他ならない。第I部には、そのためのヒントを書いたつもりだ。

「車もこないのに赤信号で待っている人はバカである」とか、「心を込めないで働く」とか、「ボランティアはしない方がカッコいい」とか、真面目《まじめ》な（だと思っている）人が聞いたら、目をむくような項目が並んでいるが、真面目な人の神経を逆なでしようと思って書いたわけではない。他人と深く関わらずに生きるためには、とりあえずは世間という呪縛《じゅばく》から自由になる必要がある。

世間で流通している常識なるものをまずは疑ってみる必要がある。その上で、納得できることは受け容《い》れて、納得できないことはイヤだと言えばよいわけである。

世の中には様々な人がいる。仕事一途《いちず》な人も、趣味に生きる人も、ヘソ曲がりも、お人好《ひとよ》しも、他人と深く関わらずに生きたい人も、セックスは金輪際イヤだという人も、ヘンタイもいる。これらの人が、皆それなりに幸せに生きるには、互いに相手の自由を尊重する必要がある。しかし、自分にある程度の余裕がなければ、他人の自由を尊重するのは難しい。

不況続きで職にあぶれる人が多いと、社会は余裕を失って原理主義に傾きやすい。他人と深く関わらずに生きたい、と思っても回りが原理主義者ばかりだとどうにもやりづらい。そこで、第II部では、他人と深く関わらずに生きたい人にとって、どんな社会システムを構築すればよいか、について私の考えを述べてみた。

基底にある考えは、国家は人々が自由に生きるための道具だという、ごく当たり前で、とても簡単なものだ。人々におせっかいを焼かないで、必要最小限のことだけをする国家、人々が自由に生き、自由に商売することを妨げない国家、人生のスタート時点での平等を含め、原則平等を保証する国家、などが私の思い描いている理想の国家である。

そのためには、文部科学省は潰《つぶ》してしまえ、医者になるのに医師免許はいらない、税金は相続税と贈与税と消費税だけにして所得税は廃止してしまえ、と一見過激なことが書いてあるが、ここはとても大事な所だけれども、理想に向かってわき目も振らずに邁進《まいしん》すると、実はシステムはクラッシュを起こして機能不全に陥る可能性が高いのである。

なぜならば、人々の心は昔のシステムに馴致《じゅんち》されていて、いきなり新しいシステムに対応できないからだ。そこで、だましだまし徐々にやる必要がある。改革で一番大事なのは物事の順序である。

現在の日本は、消費不況と雇用不安の悪循環をきたしており、まずはこの二つを解消する手だてを考えないことには、何をやってもうまくいかないだろう。そこで本書では、この二つを解消するためのウルトラCを考えてみた。

①消費財を買ったお金をサラリーマンを含めどんな人に対しても全額、必要経費として認めること。②国が働きたくても職がない人を臨時公務員として雇用すること。③金持ちの相続税を九割ぐらいにして、そのかわり生前十年間に使ったお金の半分を相続財産から控除できるようにすること。④消費税を二十〜三十パーセントにすること（経済の専門家はきっとバカにすると思うけれども、彼らとてここ十年間、何ら有効な手だてを講じられなかったのだから、私は気にしない）。

これだけでは、何のことかわからないかもしれないが、中身を読んでもらえれば、消費不況で苦しんでいる人は、きっと私の提案を面白がってくれると思う。

それでは、あなたの残りの人生に、少しでも幸せが訪れますように。

他人と深く関わらずに生きるには　目次

I　他人と深く関わらずに生きたい

II　他人と深く関わらずに生きるためのシステム

他人と深く関わらずに生きるには

Ⅰ　他人と深く関わらずに生きたい

旅人と絵のなかの少女

濃厚なつき合いはなるべくしない

「君子の交わりは淡きこと水の如《ごと》し」とは老荘思想の一方の雄である荘子のコトバだという。私は老荘思想の何たるかはよく知らない。しかし、このコトバは人と人とのつき合いの要諦《ようてい》を突いていると思う。生まれたばかりの赤ん坊は、母親と自分の分別ができない。母親べったりである。赤ん坊にしてみれば、母親は自分の一部である。母親がいなければ赤ん坊は死んでしまうのだから、それはやむを得ない。だから、赤ん坊の母親への関与は淡々としているわけにはいかない。

母親の方から見ても、赤ん坊は普通、自分がめんどうを見なければ生きられないわけだから、淡々としているわけにはいかないはずだ。もっとも、たとえ母親が赤ん坊を見捨てても、母親の方は死なないわけだから、中には淡々とつき合い過ぎて、気がついたら赤ん坊は死んでいた、ということもないわけではない。母親と赤ん坊はそのつき合いにおいて非対称なのだ。生物学的に見れば、それは善悪の問題ではなくて、単なる自然現象にすぎない。多くの哺乳類《ほにゆうるい》や鳥類では、母親は誰に教わることなく子供を育てる。母親を見失ったり、母親に死なれた子供は助からない。ひなを何羽も同時に育てる鳥類では、親は余りに発育が悪いひなにはエサをやらず見殺しにしてしまうことがある。もっと下等な魚類や昆虫では、親は卵を産みっぱなしにして、子供にはいかなる保護も与えないことの方がむしろ普通だ。肉食の魚では、自分が産んだ卵を他のエサと区別しないで食べてしまうものさえいる。

これらはみな、自然にそうなっているのであって、それ以外のやり方を知らないのだから、道徳や倫理とは無縁である。ひとり人間だけは必ずしも本能のみに従って子育てをしているわけではないから、母親に子育てをきちんとさせるために、様々な物語を作らざるを得なかったのであろう。物語を信じなくなった母親が増えれば、子供が育たなくなって社会は崩壊するから別の物語を作る必要が生ずる。夫も子育てに参加すべきだとか、子供は地域社会のみんなで育てようとかのキャンペーンの背景にはそういう問題があるのだろう。しかし、その話は長くなるのでここではしない。事実として重要なのは、人の赤ん坊はだれかに手とり足とりめんどうを見てもらわなければ、育たないということである。

大人になっても、だれかにかまってもらいたい、だれかにめんどうを見てもらいたい、だれかに甘えたい、というのは、だから赤ん坊の感性をひきずっているのである。赤ん坊と母親は非対称だから、赤ん坊はひたすら甘える身であり、母親はひたすらめんどうを見る身であるのはやむを得ない。しかし、大人になれば、自分と他人は対称であるから、自分だけ甘えたり、自分だけわがままを言うことはできない。自分が甘えるということは、相手の甘えを許すことであり、自分がわがままを言えば、相手のわがままも許さざるを得ない。

だから、他人に自分の心の中にずかずかと侵入されたくない人は、自分も他人に甘えてはいけないのである。

友人どうしで、実にべたべたつき合っている人たちがいる。買物に行くのも、ゴルフに行くのも常に一緒で、互いに相手のことをすべて知っているのを自慢にしている。人間は自分のことですらよくわからないのだから、まして相手のことなどわかるわけがない。こういう人たちに限って、相手が自分に無断で別の人と買物に行ったりすると、やれ裏切っただの、本当の友人だと思っていたのに、などと言ってギャーギャー騒ぐことになる。

人の心は毎日変わる。但《ただ》し、自分に関してだけは、どんなに変わっても、自我は同一性を主張して、私は私だと言うわけだから、自分の心変わりだけは非難しない。他人に対して、あなたは前のあなたではないといって論難しても、そんなことは当たり前なのだから、非難する意味はないのだ。あなたの自我はあなたの脳の中だけにあって、他人の脳を支配することはできないのである。逆に考えてみよう。あなたの自我が他人によって支配されているとしたら、あなたはうれしいだろうか。

究極の所は、自分の心は自分だけのものであり、他人の心はその人だけのものである。多くの人は、自分のことを理解してもらいたい、認めてもらいたい、ほめてもらいたい、と思っている（らしい）。多くの人が言う理解してもらいたい、という意味が私にはよくわからないが（自分だって自分のことがよく理解できないのに、他人が理解できるわけがない、と私は思う）、後の二つはよくわかる。私だってそう思っているからだ。一番思っているのは、理解してくれなくてもいいから私の著書を買ってくれ、ということだ。

しかし、認めたり、ほめたり、というのはほとんどの場合は所詮《しょせん》はフリだから、余り深くつき合うと、ウソであることがバレてしまう。深くつき合わなければ、自分は相手に認められているに違いないという自分の思い込みが破綻《はたん》する恐れは少いから、幸せな気分でいられるではないか。君子の交わりは淡きこと水の如し、とはそういうことではないか、と私は思う。逆に言えば、ある程度認められていると思っている人は、他人と深くつき合わなくても、幸せでいられる、ということなのかもしれない。

そう思えない人はどうすればよいかって。一番尊敬できそうな友を見つけて、それとなくその人に、あなたのことは認めている、と言えばよい。余りしつこくしなければ、そのうち相手もあなたのことを認めているフリぐらいはしてくれるかもしれない。それでほんの少し幸せな気分になれれば、それでよいではないか。くれぐれも、相手の心の中にずかずかと入っていくようなまねはしないこと。人間関係をわざわざわずらわしくするのは、おろかであろう。

酒を飲みにいって、水くさいぞ、もう帰るのかと言ってみたり、オレの言うことを信じろと怒鳴るのは下品だからやめた方がよいと思うし、そういう人とはなるべくつき合わない方がよい。帰ると言ったら、決して引き留めないで、じゃまた、と互いに言って、その瞬間に後ろを向いてスタスタ歩いている、というつき合い方がベストである。いつまでも手を振っているのははずかしい。女(男)と別れる時は別かもしれないけれど。

昔、胃がんが頭骨に転移して、余命いくばくもない虫友を見舞いに行ったことがあった。ひとしきり虫の話をして、じゃまた、と言ったら、またかあ、と彼は笑ってベッドから起きあがってエレベーターに一緒に乗り、病院の玄関まで送ってくれた。私は長期の虫採りに行く前で、もはや娑婆《しゃば》では会えないことを知っていた。恐らく彼もわかっていたと思う。玄関で手を振って歩き出し、しばらくして振り返ると、彼はまだ玄関に立ち尽くしたまま、はずかしそうに手を振ってくれた。何度も振り向いて手を振って別れるのは、こういう時だけでよいのである。

近頃はケータイとかeメールとか妙なものが流行《はや》っているので、直《じか》にべたべたつき合うというよりも、常にケータイでメールのやり取りをする、といったつき合い方が主流かもしれない。ケータイでいつも誰かとつながっていないと不安というのは、自立ができていない証拠みたいなものだ。マッチ棒は一本では立っていられなくとも、何本かくっつけておけばとりあえず立っているのと、似たような感じなのかもしれない。

しかし、どうでもいい情報をやり取りして貴重な時間を潰《つぶ》すのはもったいない、と私ならば思う。メールのやり取りで得る情報がなければ、生活する上で差しつかえがあるということは滅多にない。常にメールのやり取りをしていないと仲間はずれになってしまう不安があるのかもしれないが、それで仲間はずれにするような人とは、最初からつき合わない方がよいのである。

対人関係はなるべく希薄な方がよいのだ。濃厚なつき合いをすると、私のことを本当はどう思っているのだろうかとか、嫌われるんじゃなかろうかとか、私の悪口を誰かに言いふらしているんじゃないだろうかとか、色々余計なことが気になってくる。そういうことで神経をすり減らすのは賢くない。気のおけない無二の親友がいるというのは楽しいことかもしれないが、毎日会ったり、毎日メールのやり取りをしている無二の親友というのは気持ちが悪い。大方は二年もすればけんか別れをするのが落ちであろう。

友はいつ別れてもよいから友なのだ。最初から無二の親友がいるわけではなく、いつ別れてもよいのだ、という心構えでつき合っているうちに、結果的に三十年も五十年もつき合ってしまった、というのが無二の友の真の姿である。相手の生き方や生活の干渉をしない。聞かれもしないのに意見をしない。自分の流儀を押しつけない。要するに、相手をコントロールしない、ということが他人とつき合う上で一番大事なことだ。他人をコントロールしたいのは権力欲の顕《あらわ》れである。コントロールする人がいれば、コントロールされる人もいるわけで、これは対称性に反することになる。誰にとっても自分だけは特別な人間であるし、そのこと自体は当然のことであって非難すべき理由はない。しかし、あなたにとって自分が特別なように、他人にとっても自分は特別なのだ。濃厚なつき合いをすれば対称性はどうしても崩れ易《やす》い。

互いに相手をコントロールしよう、されまいとの葛藤《かっとう》が生じ、さりとて嫌われたり別れたりするのもいやだとのアンビヴァレント（二律背反的）な気持ちが生じ、心の平安は保たれない。なぜ、友とつき合うのか。身も蓋《ふた》もない言い方をすれば、結局それは自分が楽しくなるためだろう。友とつき合って苦しくなったら損ではないか。友とはなるべく淡々とつき合おう。そういうつき合い方を望まない人とは、最初からつき合わない方がよいのだ。

女(男)とどうつき合うか

君子の交わりが淡々としているのはいいとして、男女の交わりが淡々としているわけにはいかないかもしれない。恋愛関係や性的関係は、淡々とつき合っているうちに結果として無二の関係になるわけではなく、最初から無二と思ってするわけである。性欲処理のためだけに行う性的関係はともかくとして、恋愛関係は多少とも必ずそうである。この人は私にとって特別なんだという幻想を楽しむ要素が、多かれ少なかれ恋愛にはある。

男はなぜ女に惚《ほ》れ（まれに男に惚れる人もいる）、女はなぜ男に惚れるのだろう（まれに女に惚れる人もいる）。ほとんどの動物では、セックスは単なる自然現象であって、恋愛といった複雑な心的な機構とは無縁であろう。人間でもそういう人がいるが、互いに合意の上であれば、愛があろうがなかろうが別に何の問題もない、と私は思う。愛のないセックスはいけません、とおためごかしを言う人もいるけれど、そう思う人は自分だけそうすればよいのであって、他人のセックスのやり方に干渉するのはよけいなお世話である。

　赤ん坊は母親に甘えるだけ甘えていい存在である。母親と自分の関係はいわば特別である。しかし、大人になればそういう関係は許されなくなってしまう。すべての他人は自分にとってワンオブゼムに過ぎず、自分もまた他人にとってはワンオブゼムに過ぎない。しかし、恋愛だけはそういう日常の常識を引っくり返す力をもっている。私は特別な人と特別な関係をもってもいいんだという幻想を抱くことができる。もちろん、これは幻想だからいずれ夢が醒《さ》めれば現実に戻ってしまうだろう。二十年も三十年も同じ人と恋愛ごっこをしている人はいない。恋愛とは、もはや二度と帰らぬ赤ん坊の時の特別な人間関係を、擬似的に復活させることによって、一種のカタルシスを得る遊びなのだと思う。

　恋愛に夢中になっている本人に遊びなどというと怒られるかもしれないが、個体の生命の維持と種の生命の維持以外の営みは、生物学的に言えばすべて遊びだから、恋愛も遊びに決まっている。恋愛に命をかけて本当に死んでしまう人が時にいるが、死んだ本人がどう思っているかにかかわりなく、これは遊び方がヘタだったのであろう。

恋愛のやっかいな所はひとりではできないことだ。将棋や囲碁や麻雀《マージャン》だってひとりではできないが、特別な人間関係を結ぶ必要はないから、原則的に相手は誰だってかまわない。将棋はコンピュータとでも対局できる。しかし、恋愛はコンピュータとするわけにはいかない。もちろん、巧妙なソフトを作って、あたかも実在の人物がいるかのように装《よそお》って、eメールを使って恋愛ごっこをすることは可能かもしれない。絶世の美女を模した合成写真をメールで流して交際希望者を募り、最初は自己紹介やとりとめもないおしゃべりからはじめ、そのうち思わせぶりな文言をちりばめ、男が夢中になって愛を告白してきたら、じらしたり、甘えたり、すねたりすれば、男をとりこにすることだってできるかもしれない。

しかし、実は実在の人物ではなく、コンピュータのソフトが作ったヴァーチャルだと知れば、普通の男ならばそれでも恋愛ゲームを続ける気にはならないだろう。だまされたと言って怒り出す人もいるかもしれない。恋愛の相手は、やはり人間でないと困るのである。将棋の相手はコンピュータでも困らないわけだから、この違いは大きい。

さて、恋愛は特別な人間の関係であるとして、相手は生物学的必然で決まるわけではないので、相手も同じゲームを共有（少くとも共有するフリぐらい）してくれなければゲームは成り立たない。親と子は状況にかかわりなく親と子であるが、恋人は何かあれば、すぐ恋人ではなくなってしまう。相手の意向におかまいなしに、自分の幻想をふくらますことは自由であるが、結局は相手が諾と言ってくれなければ、このゲームははじまらない。自分だけ幻想を抱いているのは、軽いうちは片想《かたおも》いと呼ばれほほえましいが、重くなるとストーカーと呼ばれ犯罪人扱いされる。

片想いを告白しないのは多分、相手に拒絶されるのが恐いためであろう。しかし、相手に拒否されるのがなぜ恐いのだろう。自分がこんなに想っているのに、相手が全く歯牙《しが》にもかけていない、ということが明白になって自尊心を傷つけられるのがいやなのかもしれない。しばらく秋波を送ってみたものの、どうも相手には気がないらしい。それならば、愛を告白するのはやめて、別の女や男を物色すればよい。運命的な出合いなどというのは大ウソであって、恋愛の相手というのは、生理的にいやでなければ、本当のことを言えば誰でも大して変わらないのだ。うまくいきそうもない時はさっさとあきらめるのがベストである。

愛を告白したら、もしかしたら諾と言ってくれるかもしれない、と思っている時が、一番ドキドキして、実は恋愛のクライマックスかもしれない。なぜならば、この時点では自分の幻想だけがすべてであり、生身の相手と直接接触するには至っていないからである。さて、ついに愛を告白したとしよう（実際には愛しているよと言うわけではなく、つき合ってくれと言うのが普通だけど）。あなたの思惑に反して相手は否と言うかもしれない。悲しいかもしれないがそれはそれでしょうがないのである。

人はそうやって挫折《ざせつ》して、自分がみんなの中のワンオブゼムであることを悟っていく。惚れたのはあなたの勝手なのだから、相手をうらんではいけない。恋愛ゲームにおいて、惚れられる方は惚れた方に対して心理的に優位にあることは否めないから、惚れて振られたあなたは劣等感にさいなまれ、その裏返しとして相手を逆うらみしたくなることもあるだろう。しかし、この段階で相手には何の落ち度も責任もないことは明らかなのだから、惚れた相手が悪かったと思うより仕方がないのである。あきらめ切れずに何回か重ねてつき合ってほしいと言うぐらいは仕方がないかもしれないが、後をつけたり待ち伏せしたりはやめようね。こんなことでストーカーじみたことをする人は、そもそも恋愛する資格がない。

女や男に惚れて愛を告白して拒絶されたら、自尊心が傷つくから絶対に女や男に惚れないという人もいる。それはそれで立派な見識で私がとやかく言う筋合いのものではないが、女や男に惚れるというのも、人生の楽しみのひとつなんだから、一度や二度そういう経験をした方がいいんじゃなかろうか、と私は思う。自尊心というのは受動的にしていさえすれば、守られるというものではないのであって、ぎりぎりの選択の時にこそ試されるべきものなのだ。

あなたが、それなりの美男や美女であって、自分から能動的にしなくても、いつも誰かから惚れられているのであれば、女や男に不自由しないかもしれない。しかし、美男や美女であるのは、あなたの努力のたまものではないのだから、そのことを自慢するのはやめようね。特に、あなたに惚れた男や女の悪口を言うのは、人格を疑われるからよした方がよい。あんなダサくて金もない奴《やつ》が私のこと愛しているなんて、バカじゃないのとか、もう少し可愛《かわい》きゃちょっとぐらいつき合ってやってもいいけど、あんなブスじゃなあ、とかは思っているだけにして、口に出して言うのはやめようね。

それであなたの自尊心が満たされて楽しいというのであれば、別にそれでもいいのだけれど、どんな美男、美女もいずれ汚いジジイとババアになって、誰も声をかけてくれなくなる。他人はあなたの見てくれに惚れていたのであって、自尊心に惚れていたわけではないのでこれは当然である。それに、これは絶対に本当のことだけれど、惚れられる楽しみよりも惚れる楽しみの方が奥が深い。惚れられるのは受動的だけれども、惚れるのは能動的だからだ。難攻不落の女に惚れて口説いた時の喜びは、生きていて良かったと思えるぐらいのものだ。美女が勝手に惚れてHさせてくれた時もうれしいには違いないが、うれしさの桁《けた》が違うのである。

つき合ってほしい、と言ったら首尾よく相手が諾と言って、恋愛ゲームが始まったとしよう。恋愛とは幻想と幻想を交換するゲームであるから、互いの幻想が重なっているうちは、とても楽しい。第三者が聞いたら、アホじゃないかと思われるような会話も恋人どうしでは許されるのである。他人にはとても話せないようなはずかしいことも、恋人には話せる。だからこそ、世界の中で自分たち二人だけは特別なんだ、という幻想を抱くことができるのである。もちろん、他のカップルもそれそれに同じようなことをやっているわけだけれども。

幻想は醒めないうちはリアルであるが、醒めてしまえばみなウソである。そして幸か不幸か、恋愛の幻想は必ず醒めるのである。なぜならば、恋愛をしている二人の脳は違う脳なので、全く同じ幻想を抱き続けることは不可能だからである。恋愛というのはだから幻想を抱いている間だけのものであり、その間だけ楽しければそれでよいのである。恋愛の最中にかわしたコトバは、事後的に見れば要するにみなウソなのだから、後でアレコレ言っても仕方がない。

二人の幻想がほぼ同時に醒めればよいのだけれども、一方は完全に醒めていて、一方はまだ醒めていない時は結構ややこしい。相手にも自分と同じ幻想を抱き続けてほしいと強要するとストーカーになってしまう。恋愛の果てにあなたは別れたいのに相手がストーカー行為に及んだ時は、毅然《きぜん》とした態度をとった方がよい。少しでも気のあるようなそぶりを見せるのは禁物である。相手に好意を持たれたまま別れようなどと思ってはいけない。幻想と現実の区別ができない人は病気なのだから、まともに対応してはいけないのである。

逆に、あなたの幻想はまだ醒めないのに、相手の幻想はすでに醒めている時もある。別れ話をもち出されたら別れる他はない。恋愛の相手は母親と違って生物学的必然ではないのだから、どちらかの幻想が醒めてしまえば単なる他人に戻ってしまうのだ。その後は淡々とつき合う以外にない。

さて、男と女の話は恋愛だけで終るわけではない。結婚をする人たちもいるし、セックスをする人たちもいる。結婚やセックスは恋愛と背反するわけではないけれど、必ずしも恋愛とパラレルというわけでもない。恋愛をしている相手と結婚やセックスをすることもあるし、恋愛をしていない相手とでも、結婚やセックスをすることもある。結婚は契約だし、セックスは運動だから、恋愛から独立していても不思議ではないのだ。

結婚は契約だから、最低限の契約を守りさえすれば（これはカップルによって黙契という形で定まっているだけで明示的なものではないし、夫と妻とでは契約をしたと思っている内容に違いがあることが普通であり、それが事態をややこしくするが、さしあたってここではそれは論じない）、お互いに相手に干渉しないのがベストである。淡々とつき合うのが基本なのだ。もちろん、恋愛と結婚が同時進行している時は、恋愛幻想を共有しているわけだし、それ以外にも未来の生活設計についての幻想を共有していることもあるだろう。しかし原則的には、相手をコントロールしないこと、相手の心の中にずかずかと入っていかないこと、はとても大事である。結婚相手は自分と最も親しい友人であり、時に幻想を共有する同志なのだ。

最後に、性的な関係について簡単に触れておこう。お仕事でセックスをする場合は別として、セックスは楽しみのためにするものである。楽しくないセックスはしない方がよい。若い人の中には、ボノボ（ピグミーチンパンジー）のように、単にあいさつがわりにセックスをしている人もいるけれども、タブーと幻想のないセックスは、すぐにあきてしまって面白くないと思う。セックスは運動の一種だけれども、その楽しみ方は他の運動と一味違うのである。

夫婦の間でも楽しくないセックスはしない方がよい。どういうやり方をしてほしいのか、あるいはどういう状況設定をするのが一番楽しいか、などは口で言わなければわからない。相手の望むことをしてやり、自分の望むことをしてもらえば、セックスは互いにとても楽しいと思う。めんどうなのは、自分の望むやり方と相手の望むやり方が全く背反してしまう場合だ。セックスをしなければ何の問題もないのだが、夫婦の場合、どちらかの脳に、結婚をしたからには、セックスをしなければならない、という黙契が刷り込まれていると話はややこしくなる。セックスレスでもよい、と思わない限り、離婚するより仕方がない。

セックスのつき合いといっても、恋愛＋結婚＋セックス、恋愛＋セックス、結婚＋セックス、セックスだけ、と色々あるだろう。ある意味で一番純粋なのは、セックスだけのつき合いである。お互いの性的嗜好《しこう》が一致していなければ、セックスだけのつき合いなどしないからである。性的嗜好の偏差値が共に三十五とか、共に七十五とかの場合(要するにヘンタイということだけれど)、相手は互いに得がたいパートナーとなるだろう。ここでも重要なのは、相手をコントロールしようとしないことである。互いに自由であり、いつ別れても文句は言わないという黙契の上で、今日も会えた、というのが、どんな場合でも他人とつき合う醍醐味《だいごみ》なのだ。

車もこないのに赤信号で待っている人はバカである

赤信号で待っているイヌが時々いる。それを見てエライもんだと感心している人が、これはかなりいる。赤信号を守らない人間も結構いるのに、イヌのくせにエライと思っているのであろう。よく見ると、イヌは信号を見ているわけではない。だいいち、イヌは色盲ということであるから、赤も青もよくわからないはずだ。

イヌは回りの人間を見ているのだ。キョロキョロして、人が横断すれば自分も横断する。究極の日和見《ひよりみ》である。車の通りが激しい道はそうやって渡るのが一番安全であることを、身をもって学んだのであろう。だから、イヌは信号を守っているわけではない。車が全く走っていなければ、信号を無視するに決まっている。車の通行量の多い道で、イヌが信号を守っているように見えるのは、もっぱら自己保身のためである。

イヌと違ってネコは信号を守らない。ネコは日和見ではないからだ。私は車を運転していてネコを轢《ひ》きそうになったことが何度もある。実際に轢いたことも一度だけある。ネコは自分の判断で、ものすごい勢いで車道に飛び出してくる。夜道でスピードを出していたり、対向車が来たりしていれば、避けきれない。自動車などという悪魔のように速く走る動物は昔はいなかったので、ネコの本能には時速六十キロメートルで走る物体の存在は刷り込まれていない。都会のネコは生まれてから一歳までの間に交通事故で半分位死んでしまうらしい。

生き残ったネコは、何度も車に轢かれそうになって車の恐ろしさを身をもって学習したに違いない。年寄りのネコは余り交通事故にあわないとのことだ。なるべく車道を歩かないようにしたのかもしれないし、自動車と自分との距離がどのくらいならば安全なのかを計算できるようになったのかもしれない。いずれにせよ、ネコは誰にも教わらずに、自分なりのやり方で交通事故にあわないようにしているわけだ。ネコには交通ルールという法律はない。

ネコと違って人間社会には交通ルールがある。他の国でも似たようなものかもしれないが、日本では幼稚園児の頃から、交通ルールを守りましょうと親や先生から口をすっぱくして教えられる。しかし、赤信号で止まるというのは本能ではないから、すべての人がルールを守るとは限らない。ベトナムのハノイへ行くと、赤だけ無闇《むやみ》に大きい信号機がある。信号無視に業《ごう》をにやした当局が、これでもかと大きい赤信号をつけた気持ちもわからないでもないが、何かおかしい。赤が大きければ大きいほど信号をよく守るわけではないだろう。

交通ルールは何のためにあるのか。もちろん事故を減らして、死んだりケガをしたりする人を減らすためだ。しかし、国家というシステムはひとたび法律が制定されると、何のために法律があるのかを忘れて、法律を守らせること自体を人々に強制する装置になってしまう。たとえば、シートベルトの着用を義務づける交通ルールがある。シートベルトを装着しないで損害をこうむるのはシートベルトを着けていない本人なのだから、これを法律で強制することはバカげている。究極のパターナリズム（おせっかい主義）である。国家の決めることは何でも正しく、国民は無知な子供みたいなものだから、国家の言うことをハイハイと言って聞いていればよい、という考えである。

パターナリズムを許しておくと、しまいには体にいいから毎日運動をしろとか、毎日野菜を食べろとか言い出しかねない。違反した奴《やつ》は罰金だ。ここまで書けば、誰だってそんな制度はおかしいと思うだろう。余計なお世話だと思うだろう。オレが何を食おうとオレの勝手ではないか。しかし、そう思っているアナタが、シートベルトの着用を義務づける交通ルールをおかしいと思っていないとしたら、アナタはすでにパターナリズムに冒されている。国家指定の健康野菜を毎日律儀《りちぎ》に食べ、国家公認の健康体操を毎日律儀にするようになるのも時間の問題かもしれない。

シートベルトの着用を義務づけるのと、健康野菜の摂取を義務づけるのは、バカさ加減のレベルにおいて選ぶ所がないからである。人によっては毎日野菜を食っていると体の具合が悪くなることだってあるかもしれない。食欲が全くない時に無理に野菜を食って吐いてしまう人もいるかもしれない。シートベルトだって状況によっては、装着していない方が安全ということもある。たとえば、未舗装の山道をドライブしている時のことを考えてみよう。時速はせいぜい三十キロメートルぐらいしか出せない。一番危険なのは、運転を誤ってガケから車ごと落ちてしまうことだ。ガケの下は谷だったり湖だったりするだろう。シートベルトをしていると車から脱出できずに、車と運命を共にしてしまうことはあり得る。

昔、私は自動車ごと山道から谷に落ちたことがある。ボーッとしていたわけではなく、運転しながら虫を目で追いかけていたら、気がつくとガタンゴトンと車が谷に向けて落ちはじめていたのである。車というのは最初はゆっくりと落ちるが、途中から猛スピードで落下する。幸い車は水面の上に落ち、命に別状はなかった。もっとも全身打撲で熱が三十八度以上出て、一週間以上寝込んでしまったけれど。昔のことで、シートベルトはしていなかった。シートベルトをしていたら、車から脱出できなくてかえって危なかったかもしれない。

私はいまでも山道を運転する時は、シートベルトを着けない。命はともかくとして、私は珍しい虫を見つけたらすぐに飛び出して虫を採るので、シートベルトを着けているのは機能的でないのだ。法律というのは、もとはと言えば機能のためにあるのだ。誰にも迷惑をかけるわけでもないのに、法律を守るためだけに法律を守っているのはバカである。人間はもっと臨機応変でなくちゃね。なんてことを考えていたら、先日シートベルトを着けていないかどでとっつかまってしまった。全く、シートベルト未装着の運転手をつかまえるために、警官を動員するなどはムダの極みである。官の威光がどんなにすごいかを民に見せつけるためにやっているとしか思えない。殺人犯をつかまえるのは大変だけれど、シートベルト未装着の運転手をつかまえるのは簡単だもんな。

というわけで、しばらく頭に来ていたのだ。しゃくにさわるので、今度からは遠くから見るとあたかもシートベルトをしているかのように見える模様のシャツを着て運転しようかと、マジで思っていたのであった。

ところで、自動車の影すら見えないのに赤信号の前でじっと待っている人がいる。交通ルール原理教の鑑《かがみ》である。私はこういう人を見ると、国家にたましいを抜かれちゃったんじゃないかと思い、気の毒になってくる。車がこなければ、信号などあってもなくても同じなのだから、信号を無視するのは当たり前なのだ。イヌだってネコだってそうしている。動物的機能という点ではイヌ・ネコよりアホである。

交通信号というのは、交差点に同時に車やら人やらが入ってきた時に、どちらが優先かを決める便宜のために作られたにすぎない。元々、便宜であったものを金科玉条にする。これを原理主義という。だから青信号で道を渡っていて車にはねられる人が跡を絶たないのではないかと私は思う。それは確かに赤信号を無視して、人をはねた車の方が悪いに決まっている。しかし、猛スピードで走ってくる車が、赤信号で止まるという保証はどこにもないのだ。交通ルールは物理法則ではないから、従わない奴が出現するのは避けられない。

国家に馴致《じゅんち》され、パターナリズムに冒された人々は、社会的なルールを過度に信用しているのではないだろうか。私はルールよりも状況の方を信用するから、挙動不審な車が近づいてくれば、青信号でも横断しない。イヌやネコも当然そうするだろう。繰り返すが、信号を無視して人を轢いた車は悪いに決まっているわけで、同情の余地はない。それに車に乗っていて信号を無視するのは極めて危険である。人は小さくて車からは見づらいし、青信号であれば建物の陰からいつ飛び出してくるかわからない。車がこないのを確認して人が信号を無視するのと訳が違う。

しかし、青信号だからといって、ものすごいスピードの車の前を横断してはねられる人は、やっぱりどこかヘンである。交通ルールを守って殺されてしまうのは気の毒であるが、交通ルールなど無視しても生き延びる方がかしこい。法律は所詮《しょせん》、便宜にすぎない。いざとなったら、そんなものはどうでもよいのだ。それよりも、自分自身の経験と判断の方を大切にしよう。

青信号で歩道を渡っている集団登校の列に自動車が突っ込んで、沢山の子供が亡《な》くなるいたましい事故が時々起きる。一人一人の子供が自分で判断して歩道を渡ればこういう事故は起きない。誰かの判断を盲信したり、国家が決めたルールをただ守っていさえすれば、安穏《あんのん》に生きられると思っているとしたら、何十年か後にやってくるであろう乱世を生き延びられないだろう。

飲酒運転や高スピードで運転することをルール違反であるとする考えは、唾棄《だき》すべきものだと私は思う。少々酒を飲んでも事故を起こさない人もいれば、状況によっては少々スピードを出しても安全な場所もある。危険だと思えば、制限速度が時速五十キロメートルの道でも、速度を充分落として走るだろうし、安全だと思えば時速七十キロメートルで走るだろう。ほとんどの人はそうしているに違いない。状況はそのつど変化する。臨機応変に走る他はない。

　スピード違反の取締りは、見通しがよくてスピードが出易《でやす》い所でやっていることが多い。逆に言えば、そういう所は少々スピードを出しても安全なのだ。だとすれば、制限速度を本来時速五十キロメートルにすべきなのに、四十キロメートルにして違反者をつかまえているということではないのかね。

　そもそも、事故も起こしていないのに飲酒運転やスピード違反でつかまえるのは間違っていると私は思う。これは一種の予防拘束である。正しいやり方は、飲酒して自己責任の事故を起こしたら、とっつかまえて刑務所に入れて免許は二度とやらない、というものだと思う。酒を飲まなくてもしょっちゅう事故を起こしている人より、少々酒を飲んでも事故を起こしたことがない人の方が、はるかにましではないかね。

　そうはいっても、私は交通ルールを破った方がよいと言っているわけではない。飲酒運転禁止とか、スピード違反とかは悪法には違いないが、そういうシステムが運用されている所では、実際につかまれば、わずらわしいことこの上ないし、場合によっては職を失うかもしれない。飲酒運転をしても絶対に見つからない方法がない以上、現状では飲酒運転はしない方が無難であろう。

　ルールは守れるものなら守った方がよいが、絶対に守らなければならないものではないのだ。状況によって守らない方が都合がよい時には、守らなくてもよいのである。但《ただ》し、どんな状況の時にどんなルールなら守らなくてもよいかは自分で判断する他はない。与えられたルールをただ墨守するよりも、最終的には自分で判断して行動する方がステキではないか。

病院にはなるべく行かない

現代人は体の具合が悪くなったら病院に行くのが当たり前と思っているようだが、ケガと感染症以外の病気は、病院に行ったからといって治るとは限らないし、かえってこじれてしまう場合もある。はっきり言って、病院に行こうと行くまいと、治るものは治るし、最新の医療を受けても万金を積んでも、治らないものは、治らない。

たとえば、鼻の奥がむずむずしてクシャミが出る。しばらくすると熱が出てくる。典型的な風邪である。病院へ行かなくても、薬を飲まなくても、安静にしていればほぼ百パーセント治る。医者に診てもらうのは、時間とお金のムダである。それでも必ず病院に行く人がいる。病院に行けば、必ず薬をくれる。やっぱり、薬を飲まなければ治らないんだ、と思ったら大間違いである。薬など飲まなくても治るとわかっていても、医者は薬を出すのである。薬を出さなければ、もうからないからである。もう少し医者寄りの言い方をすれば、薬を出さなければ病院が潰《つぶ》れてしまう。

薬というのは毒でもあるから、飲まないにこしたことはない。一昔前の良心的な町医者の中には、薬は飲まなくても大丈夫ですよ、と言って診察だけして帰してくれる人もいた。しかし、今のシステムではこういうやり方ではもうからない。診断だけして患者を安心させても医療費を取れないからだ。検査を沢山して薬も沢山出さなければ、もうからないようにできているのだ。飲む必要のない薬を飲めば体に悪い。だから、どうでもよい病気で医者に行くのは、時間と金と体の三つも損していることになる。

現代人はなぜこんなに病院が好きなのか。それは子供の時から、健康は正常でかけねなしに善であり、病気は異常で悪であると教えられるからである。どんなささいな異常でも直ちに治して正常にならないと気がすまない。かなりの人は、こういった健康原理教の信者になっているのではないかと私は思う。人間の体は自然物であるから、常に同じ状態のままコントロールできるわけではない。若い時は元気がいいが、年をとるにつれて体のあちこちにガタが来て、最後はにっちもさっちもいかなくなって死んでしまう。七十歳や八十歳になって、具合の悪い所は全くなく、二十歳や三十歳の時と同じように元気な人がいたとしたら、その人は健康かもしれないが異常であろう。健康と正常はパラレルではない。

風邪のような一過性の病気は、発病から治るまで、あるパターンのプロセスをとる。具合が悪い時に、医者に行かずに家でじっと寝ていると、病気の経過が自分なりにわかる。何度か同じような経験をすれば、この具合の悪さは、寝てさえいれば治ると確信することができる。即病院に直行したり、病院に行かないまでもすぐに薬を飲んだりすると、病気の自然の経過を自分で経験することができない。ついには、病院に行ったり、薬を飲んだりしないと不安になってくる。幼稚園や小学校の時から国家のパターナリズム（おせっかい主義）と、医療資本にだまされて、健康強迫症にさせられてしまったのだ。

自分の体と一番長くつき合っているのは自分であり、自分の体のことは自分が一番よくわかっているはずなのに、自分の判断や感性を信じないで、医者の言うことを無闇《むやみ》に信じるのはおろかであろう。死ぬか生きるかの瀬戸際《せとぎわ》になった時、あるいは手術するかしないかの決断をせまられた時、自分のことは結局自分で決めるしかない。そのためにも、普段から自分の体を他人まかせにしないで、自分で判断するクセをつけておいた方がよいと思う。

国家というのは人々を管理したくて仕方がないらしい。国民に十一ケタの背番号を付けようなどという発想は、国家が好コントロール装置であるなによりの証拠である。この装置は病気の人を病院でコントロールするだけではあきたらずに、健康な人まで病院に送り込んでコントロールしようとしている。医療資本にとっても、もうけるチャンスが拡大するわけだから、渡りに舟である。かくして、予防医学あるいは健康診断という名の搾取《さくしゅ》が行われることになる。

自分では何の異常も感じないのに、健康診断に行く。四十歳もすぎれば、大抵の人は体にガタが来ている。血液検査をして、肺のレントゲンを撮って、胃カメラ飲んで、大腸がんの検査をして、内臓のエコー検査をして、あげくは脳ドックまでやれば、すべて何でもありません、という人はむしろ稀《まれ》であろう。多くの人はどこか悪いと言われ、コレステロール値を下げる薬をもらったり、血圧を下げる薬をもらったりして、時間とお金を使わされることになる。自覚症状がないのに、薬を飲まされて不思議だと思わないのだろうか。

体の具合が悪くて、医者に行ってそう言われたのならまだ話はわかる。何でもないのに検査の値が正常値より少々ずれているからといって、一喜一憂する神経が私にはわからない。正常値というのはあくまで人々の平均を基にした値なのである。あなたにとっての最良の値であるとは限らない。コレステロール値が少々高くても長生きする人はいるし、正常値でも早死にする人もいる。前者では少々高いコレステロール値が、その人にとっての最良値なのかもしれないのである。無理にコレステロールを下げる薬を飲まされたら、かえって早死にするかもしれないのだ。検査データよりも自分の体の内部の声を聞いた方がよいのだ。だから、健康だと思っているうちは、わざわざ検査などする必要はないのである。

医者は酒はほどほどに、タバコは吸うなと言うけれども、それも余計なお世話ではないか。酒やタバコが体に良いか悪いかは、個々人によって異なると私は思う。毎日、酒もタバコもやって、九十五歳まで生きた人を私は知っている。この人が、酒もタバコもやらずに清く正しい生活をしていたとして、百歳まで生きただろうか。ストレスがたまって、かえって早死にしたんじゃなかろうか、と私は思う。もちろん、酒やタバコをやったばかりに早死にした人は多いだろう。実際、こっちの方が多いに違いないが、あくまでそれは平均の話なのだ。あなたに当てはまるかどうかはあなたが考える他はない。

私は、酒は毎日飲む。酒がうまいうちは毎日飲んでも大丈夫だろうと思っている。時々いきなりまずくなる時がある。体が飲むのはもうやめろ、と言っているのだと思って、そういう時は、それ以上飲まない。パーティーはめんどうくさいので余り出席しないが、酒がまずい時は人にすすめられても、もちろん飲まない。二十代の頃はタバコはムチャクチャ吸った。一日九十本吸ってたこともあった。ある時、ひどい風邪をひいて物理的にタバコが吸えなくなった。タバコを吸うと喘息《ぜんそく》の発作が起きるのだ。それで仕方がないのでしばらく吸わなかった。風邪が治ってみるとタバコを吸わないのは妙に気持ちがいい。それで、ぷっつりやめてしまった。私の体にタバコは合わないと悟ったのである。タバコを吸い続けていたら、今頃は鬼籍の人に違いないと思う。酒やタバコが体に良いか悪いかについて、一般論は通用しない。自分の体に聞いてみる他はない。

私はがん検診も受けない。がんが早期発見されれば命が助かるではないか、と思う人がいるだろうが、どうやらそれはインチキらしい。がん検診を受けても受けなくても、がんの死亡率に変わりはないのである。ということは検診で発見されても、症状が出て病院に行ってから見つかっても、命に別状のない良性のがんは治り、悪性のがんは早期発見されても治らないということなのだ。胃の調子が悪くもないのに検診に行って、早期発見されてよかったですね、と言われて、命に別状がないのに胃を取られ、おまけにお金も沢山取られ、体の調子は最悪で、命が助かってよかったと医者に感謝しているのは、マゾでなければバカである。

何でもないのに胃カメラを飲んで、食道に穴が開いて死にそうになった人もいるのである。大腸に入れられたバリウムがうまく排出されずに死んだ人もいる。何でもないのにがん検診を受けるのは、血液検査を受けるよりも、はるかにバカである。体の調子が良い時に、何でわざわざ医者に行く必要があるのか。職場などでがん検診を受けないと色々とめんどうな人もいるかもしれないが、そういう時はがん検診を受けたくないとはっきり言うか、適当なウソをついてゴマかそう。無理に健康診断やがん検診を受けさせようという方が理不尽なのだから、ウソをつくことにうしろめたさを感じる必要は全くない。

さて、それでもどうしても具合が悪い時は医者に行くのもやむを得ない。どんなに具合が悪くても、たとえ死んでも病院には行かない（死んで行くのは病院ではなく火葬場か）というのは上品でカッコいいけれども、耐えられない苦しみや痛みは、和らげてもらえるものならばもらいたい、と少くとも私ならば思うだろう。だから、どうしても具合が悪ければ、病院に行く他はない。

問題はそこからだ。病院に行っても医者まかせにはしないこと。痛みや苦しみを緩和してもらうことを最優先して、その後のことはゆっくり考えればよい。患者はお客様で医者はサービス業なのだ、ということを頭の隅に入れておこう。医者と敵対しろということではない。自分の治療方針について納得のいく説明をしてくれる医者でなければ、信用しない方がよい。病状が一段落したら、別の医者の意見も聞いてみよう。

有無を言わせずに手術をすすめる医者は警戒した方がよいかもしれない。特にがんの手術はよく考えてからした方がよいと思う。手術の後遺症に苦しんだまま一生を終わってしまう例がとても多いからだ。がんだって手術をしなければ、治らないにしても苦しむことは余りないかもしれない。転移がんは基本的には治らないのだから、無理に手術を受けるのは苦しみを増やすばかりですすめられない。特に八十歳をすぎて手術をするのはやめた方がよい。八十歳まで生きたのだから、余り苦しまないで死ねれば本望だと思った方がよい。

もちろん、あれやこれやは全部私の個人的な意見である。あなたにはあなたの考えがあってよい。ただ、人生の最期《さいご》ぐらいは自分で決めた方がよいのではないかと思うだけだ。医者の言う通りにして、後で後悔するのはバカである。どうせ死ぬのだから、少々わがままでもいいのである。

心を込めないで働く

食べることがどういうことかを知らない人はいないだろう。どんな人間でも、何かを食べなければ死んでしまう。逆に食べていさえすれば、後は何をしていても生きていける。種の維持のためには、セックスをすることも重要だが、個体が生き延びるためには、セックスは不要である。

代謝したり、呼吸したり、排泄《はいせつ》したり、眠ったりすることも生きるために必須《ひっす》であるが、これらは体が勝手にするものであって、特別な努力は必要としない。しかし、人間にとって食物だけは勝手に目の前に現われるわけではないので、探さなければならない。食物を得るためにはエネルギーを投入して動かなければならない。労働ということの、これが最も根源的な意味である。

イヌやネコでも餌《えさ》を探すためにエネルギーを費すから、動物でもちゃんと労働はする。野生動物の多くは、自分を食べようとする敵から逃げなければならないので、逃走も労働の一種であろう。但《ただ》し、飼いイヌや飼いネコは、労働をしなくとも飼主が餌をくれるし、自分を襲う敵もいない。独房に入れられている死刑囚も食物の質さえ問わなければ、似たようなものであろう。親に養われている子供も労働はしていない。働かなくて食えれば、働かない方がいいと思う人は多いだろうが、以上のことを思えば、働かない方が必ずしも幸せとは言えないだろう。

今から一万年以上前、地球の人口が四〜五百万人であった頃、人々の労働時間は週十五時間程度であったらしい。現代でも狩猟採集民の労働時間は短いとのことだ。少し前までマレーシア中央高地のムゾーで、狩猟採集生活をしていたセマイ族の労働時間は、一日平均三〜四時間程度であったと言われる。食物を得るために最小限の労働をして、後は遊んでいたのであろう。

セマイ族の労働は野生動物を狩ることと、野生植物を採集することで、我々の目から見ればぜいたくな遊びのようにも見える。一部の現代人は野生動物を狩るために大金を使うのだから。同じように見える行為がある時は労働になり、ある時は遊びになるのは、労働や遊びは文脈依存的な概念だからである。行為それ自体によっては労働と遊びを分けることはできない。ほとんどの人は遊びでセックスをするが、中には仕事でする人もいる。将棋や碁や麻雀《マージャン》は遊びでする人がほとんどだが、まれには仕事でする人もいる。多くの人にとって畑を耕すのは仕事だが、遊びでする人もたまにはいる。

なぜ、こういうことになるかというと、食物を得る手段が徐々に間接的になってきたからである。狩猟採集時代、労働は直接、食物を獲《と》ったり、採ったりすることであった。保存する手段が乏しければ、必要以上に狩猟・採集してもムダになるだけだ。資源が枯渇《こかつ》しないように、根こそぎ採るのは禁物である。基本的には今日一日食うための獲物が手に入れば、それで労働は終わりである。狩猟のための武器を作ったり修理したり、あるいは仮住まいの補修をしたりすることもあったろうが、それは恒常的な労働ではない。短時間で効率よく獲れる時もあるだろうが、一日歩き回ってもほとんど何も獲れない時もあるだろう。腕前の良し悪《あ》しもあるし、運もある。しかし、勤勉でありさえすれば、無条件に善であるという考えだけは、少くともなかったろう。条件の悪い時に無闇《むやみ》に歩き回って獲物を探すのは体力を浪費するだけだからである。

一万年前に農耕が発明されると、事態は微妙に変わってくる。主たる食物は直接採るものではなく育てるものになってきたからである。穀物は貯蔵可能なので、収穫量は多ければ多い程よい。労働は田畑の管理や飼育動物の餌やりといった、直接食物を採るといった観点からは間接的なものになり、労働時間は増加した。収穫量は労働時間に比例し、働けばそれだけ飢える恐怖は減るからだ。勤勉は善であるというのは農耕文明以来の考えなのである。

さらに近代になり、貨幣経済が発達してくると、食物はお金で買えるようになり、労働は何であれ、お金をかせぐこととほぼ同義になった。逆に金がかせげるのであれば、どんなことも労働となる。労働は直接食物を得る行動から乖離《かいり》したのである。同じようなことをしても、金をかせぐのは労働だが、一銭の得にもならないのは遊びである。プロゴルファーがゴルフをするのは仕事であるが、アマのゴルファーがゴルフばかりしていれば、よほどの資産家でない限り、おまんまの食いあげになってしまう。逆に莫大《ばくだい》な遺産がころがり込めば、労働をしなくとも生きるに困らない。

進化論で有名なダーウィンは、最初、医者になるべくエジンバラ大学の医学部に入学したが、ある時一生働かなくとも食っていけるだけの財産が自分に入ることに気づき、医者になるつもりがなくなってしまったという。周知のようにその後は、賃仕事はほとんどせずに研究に没頭した。

あなたが現時点で百億円のお金を持っているとしたら、労働は全くしなくとも生きていけるし、そのことをうしろめたく感じる理由は全くない、と私は思う。小浜逸郎は『人はなぜ働かなくてはならないのか』(洋泉社)と題する本の中で、「労働は、一人の人間が社会的人格としてのアイデンティティを承認されるための、必須条件なのである」と書いているが、よくこういうウソを抜け抜けとつくなぁ、と私は思う。労働を、食うために(あるいは金をかせぐために、場合によっては金を節約するために)、時間とエネルギーを費すこと、と定義すれば(それ以外の定義は不可能だ)、全く労働をしなくとも、それだけで、社会的人格としてのアイデンティティを承認されない、ということは全然ない。

たとえば、あなたが百億円のお金持ちで、毎日、平均十万円ずつ使ったとしよう。一年で三千六百五十万円、十年で三億六千五百万円だから、よけいなことをしなければ、死ぬまで全く安泰である。あなたは全く労働はしない。あなたは、社会的人格としてのアイデンティティを承認されないだろうか。そんなことはあり得ない。

ちゃんとお金を払って物を買えば、お店の人はあなたの社会的人格としてのアイデンティティを承認してくれるに決まっている。なじみの店もできるだろうし、お友だちもできるだろうし、恋人だってできるかもしれない。これらの人はすべて、あなたが労働もしないで、資産を食いつぶしながら暮らしていることを知っても、あなたの社会的人格としてのアイデンティティを承認しないことは絶対にないはずだ。もちろん、中にはあなたのことを軽蔑《けいべつ》する奴《やつ》もいるかもしれないが、それはアイデンティティを承認するしないとは別の話だ。

食うに困らなくても働いている人はいるが、それは結局、その人にとって働くのが楽しいからだ。多くの人は働かなければ食えないので、イヤイヤか、喜んでか、惰性でかの違いはあっても、働いているわけである。自分のしている労働が楽しい人は幸せである。一番好きなことは将棋という将棋指しや、一番好きなことはゴルフというプロゴルファーは、趣味と労働が重なった幸せな人たちなのである。しかし、ほとんどの人はそうはいかない。お金をかせぐために、楽しくもない仕事をせざるを得ない人も多いだろう。イヤな上司に毎日イヤミを言われて、やめたくて仕方がないのに、この不況下、やめたら他に仕事がないかもしれないと思って、耐えている人もいるだろう。仕事が楽しくない人は、どうしたらいいのだろう。わけ知り顔の世間の人たちは、労働とは自分が苦労をして、他人を喜ばすことに意義があるのだから、つまらないと言ってすぐにやめたりしないで頑張らなければいけない、と知ったようなことを言うかもしれない。そういう言説を真に受けて、労働が楽しくなる人は、私に言わせれば、元々人のためになにかしてあげて感謝されるのが好きな人なのである。よけいな話だけれど、こういう人に限って、客が感謝しないと腹を立てたりする。「金を払えばいいってもんじゃない」と言ってみたりする。無言でさっさと金を払って立ち去っていく客が、効率の上から言えば、最も良いお客さんだと私は思うが、そう思ってない人に何を言ってもはじまらない。人の考えは様々だから、それで働くのが楽しければ、私は別に文句があるというわけではない。

働くのがイヤな人は、そういう風になれないから苦しいのだ、と思う。自分が楽しいことではお金をかせげない。金をかせげる労働は自分にとってはイヤなことばかり、それでも働かなければ食えない、という人はどうしたらいいのか。私の答えは簡単である。心を込めないで働くのである。なるべく条件反射のように働くのである。上司も同僚も客も、ロボットだと思えば、さして腹も立たない。横暴な客が来ても、心を動かしてはいけない。心を込めたり、動かしたりすると、疲れる。同じ金をかせぐのに疲れたらつまらない。

勘違いしないでほしいのは、私はすべての人にそうすすめているわけではない。労働が本当に楽しい人、心を込めて接客するのが楽しい人、楽しい楽しいと自分に言い聞かせてゴマかすことができる人、つまんないけどやめたくなる程苦しくない人、等々は別に問題はないのだから、自分なりのやり方で働けばよいのである。働かなければどうしても食えないのに、働くのがイヤでイヤで仕方がない人に、少しでも楽に働く方法を考えてみよう、と言っているだけだ。

上司も客もみなロボットだと思って、心を込めずに働くと、ずいぶんと気が楽になると私は思う。そして更に重要なことは、そういう自分をカッコイイと思い込むことである。心を込めて働いている同僚を心の底でバカにする余裕があるともっとよい。但し、顔だけはニッコリ笑って、口には決して出してはいけないよ。余暇は自分の好きなことをして遊べばよい。労働は食べるためと割り切れれば、心は結構軽くなると思う。

それでも働きたくない人はどうすればよいかって。狩猟採集民のように、直接、自分で食物を採るか、それもいやなら野垂れ死ぬより他はない。それはそれで仕方がないではないか。

ボランティアはしない方がカッコいい

大分前に小中学校の先生になる資格（教員免許）を取る条件に、ボランティア（介護実習）を義務づける法案が国会を通って、一九九八年度に入学した学生から適用されているはずだ。義務のボランティアは、実はボランティアではなく強制労働である。この法案を議員立法した張本人は田中真紀子である。私はこの時から、田中真紀子をバカで卑怯《ひきょう》な奴《やつ》だと思い続けてきた。義務のボランティアがそんなに大事ならば、ついでに議員に立候補する資格にボランティアを義務づける法案でも通せばよかったのに。そうすれば私は、バカだとは思っても少くとも卑怯だとは思わなかったろう。

さて、今度は先生ばかりではなく、小・中・高の児童・生徒にボランティアを義務づけようとしているらしい。私はもはや老人になって死ぬばかりだから、本当はそんなことはどうでもいいんだけど、児童・生徒にボランティアという名の強制労働をさせてどうするのだろう。そうでなくても下品な人間をますます下品にするだけではないか。

多くの人は見ず知らずの人に無償で何かをしてあげることが結構あるだろう。たとえば、前を歩いている人がポケットからティッシュを取り出す拍子に、カギのたばを落として気がつかないで歩いていったとしよう。あなたが後ろから歩いているとして、「もしもし、カギ落としましたよ」と声をかけたとしよう。その時、あなたは相手に何かしてもらうことを期待していないはずだ。カギを落としたのはあなたの責任ではない。教えてあげなくても別にあなたは道義的に非難されるいわれはないのだから、教えてあげなくともよいのだ。実際イライラしたり何かムカついている時は、教えてあげないかもしれない。

教えるか教えないかは、その時の気分で決まる。それでよいのだ。教えてあげれば、普通の人はお礼を言うだろう。中には、お礼を言わない人もいるかもしれない。もしあなたが、お礼を言われないでムカつくようであれば、教えない方がはるかによい、と私は思う。お礼を言われることを期待して行う行為は、それであなたが気持ちがよくなるのだから、すでに無償ではない。ただで気持ちよくなろうというのは、よく考えればずるい。だから、落としたカギを教えてやるのは、相手がお礼を言おうが言うまいが、そのことに心を動かされずに、日常茶飯事のごとく行う時だけ、無償の行為なのである。これが真のボランティアであろう。

しかし、世間で言ういわゆるボランティアは普通は自分が楽しくなるためにするのだから実は真のボランティアではないのだ。もちろんボランティアと称する行為をして、あなたが楽しくなるのであれば、そのこと自体に私は何も文句はない。私はやりたくないけれど、あなたがやるのはあなたの自由である。ただ、自分が楽しくなるのだから、自分にとってはボランティアはとりたてて言うほど立派な行為ではないだろう、と思うだけだ。つりに行っても楽しい。ゴルフに行っても楽しい。ボランティアをしても楽しい。そうであれば、ボランティアはつりやゴルフと同じではないか。もちろん、道のゴミを拾うのとつりに行くのを同列に扱うのはおかしいとの議論はあり得よう。前者は普通、お金をもらってやる仕事であり、後者は普通お金を払ってやる遊びである。

しかし、金をもらうにせよ払うにせよ、この二つの行動のどちらかがどちらかに比べて、無条件に尊いということはないのである。道路のゴミ拾いは、金を払ってやるのはもちろんのことただではやりたくない人が圧倒的多数であり、つりやゴルフは金を払ってもやりたい人が沢山いるのは事実であろう。大多数の人の好き嫌いは、しかし金銭的価値には結びついても、絶対的価値に結びつくわけではない。多くの人が、道のゴミを拾うことに快感を見出《みいだ》す世界では、私道にゴミを捨てておいて、金をとって拾わせる商売が成り立つかもしれない。

時代が変われば、人々の好悪《こうお》も変わるのである。昔、畑仕事は重労働であり、ボランティアでやる人はいないか、いても稀《まれ》であったろう。今、都会人の中には、お金を払って畑を借りて、わざわざ畑仕事をしている人がいる。キュウリやトマトが少しばかり収穫できても、支払った借地代や肥料代を考えれば、スーパーで買う方が安いに決まっている。

どんな行為であれ、人に迷惑をかけない限り、行動自体に絶対的価値の差はない。同じ行動が、状況と時代背景により、仕事になったり、遊びになったり、ボランティアになったりするだけだ。とりわけ現代では、世間というえたいの知れない怪物が、どんな行動がボランティアであるかを決め、ボランティアをするのは良いことだ、という宣伝に余念がない。世間というのは、あなたをコントロールしようとする最もたちの悪い、見えない権力であるから、くれぐれもだまされないようにね。落としたカギを拾ってあげるといった無意識のボランティアは別として、意識してボランティアをする時には、自分が本当にしたいかどうか、よくよく考えてから決めようね。やりたくないボランティアはやらない方が上品なのだ。どんな行為をボランティアと称するにせよ、行為そのものが絶対的に善であることはないのだから、ボランティアをやらないことに、うしろめたさを感じる必要は全くない。

たとえば、空地の草刈りを町内会のボランティアでやったとしよう。町内美化と犯罪予防のためには草刈りは善かもしれない。しかし二酸化炭素を少しでも吸着させるためには、草刈りはしない方がよいかもしれない。あるいは、草刈りを行って商売をしている人もいるかもしれない。ボランティアで草を刈るのはこの人たちの商売の邪魔をして生活を脅《おびや》かすことになろう。一般的にボランティアでやる行動が、人のいやがるものであるならば、この行為は賃仕事になるに違いない。ということは、すべてとはいわないまでも、一部のボランティアは他人の商売の邪魔をしていることは間違いない。雇用の確保という観点からは、ボランティアはむしろ、やらない方がいいのである。

そこまで考えれば、ボランティアとは、本来は金を支払うべき仕事をただでさせるための（特に、行政が税金を使ってやるべき仕事を人々にただでさせるための）、巧妙なコントロール装置なのであろう。余計なことに税金を使わない方がよいのはもちろんであるが、一方で、自動車がほとんど走らない高速道路の建設費や外務省高官の遊興費に、税金が湯水のように使われているのだから、ボランティアで浮く費用などはたかが知れている。多くの人が、ボランティアをするのはいいことだと信じ込んでいるとしたら（フリをしているだけかもしれないが）、国家というコントロール装置とパターナリズムにたましいを抜かれたからに違いない。

そういう世間の風潮をとりあえずカッコに入れて、自分が楽しいからボランティアをやる、という人は上品である。しかし、世間の目を気にして、やりたくもないボランティアをやっている人は下品でありバカである。世間が何と言おうと、世間とはアホの代名詞だと思えばよいのだ。イヤイヤやるくらいならボランティアはしない方がむしろ上品なのだから、自分の矜持《きょうじ》を保つためにも、やりたくもないボランティアはしなくてよいのだ。

他人にボランティアを無理矢理やらせようとなれば、権力者になりたいとしか考えられない。自分が楽しくて仕方がないから他人にも楽しんでもらおうとして、ボランティアをすすめるのは、おせっかいな奴と思ってもまだほほえましいが、自分がやりたくもないボランティアをやっているんだから、あんたもやりなさいよ、というのは下品というよりもルサンチマンのなせるわざであろう。自分で何も考えずに、単に世間というコントロール装置の奴隷《どれい》になっているだけである。

自分にボランティアをすすめてくれる人が親友だったりすると、断わるのは悪いかなあ、と一瞬思う人もいるかもしれない。そんなことは気にする必要はないのだけれど、どうしても気になる人は、それで気まずくなるような人とは、さっさと別れた方がよいのだと思えばよい。というのは、自分が楽しくてボランティアをすすめている人は、スキーが楽しくてスキーをすすめている人と同じだから、断わっても気まずくなることはないし、気まずくなるような人はあなたをコントロールしたくてすすめているのだから、元々つき合うに価《あたい》しないのであるから。

新聞などの報道によれば、児童や生徒にボランティアをさせて、ボランティア手帳なるものを作って、ボランティアをしたらはんこを押してもらって、それで進学や就職に有利になるようにしたいらしい。下品だねえ。これはほとんど裏口入学のすすめであり、裏口就職のすすめである。自分の利益のための行為を、ボランティア（あるいは奉仕活動）と称するとなれば、国民のためと称して省益のことしか考えない役人や、地域振興のためと称して私腹を肥やす政治家とおんなじである。ボランティア活動のはんこは人一倍もらっているが、はんこをくれない活動は一切しない児童・生徒が現われてくるんだろうね、きっと。

イヤイヤやるボランティアは、実はされる方にとっても迷惑だということも知ってほしい。たとえば、ボランティアで老人介護に来て、ずさんででたらめな介護をしたとしよう。ボランティアする方は、ボランティアする人はエライという世間の風潮の中で、精神的に優位にあり、やってあげている、と思いがちだ。世間の風潮がそうだと、介護される方も文句を言えないような精神状態に追い込まれ易《やす》い。苦痛を与えられて、無理矢理有難うと言わされたらかなわない。お金を払ってやってもらった方がよほど快適であろう。

イヤイヤやるボランティアほどではないにせよ、本人が好きでやっているボランティアも実は大同小異で似たような所があるのではないか、と私は思う。たとえば、ボランティアで老人ホームに、劇や楽器演奏をやりに行く人たちがいる。中には楽しみにしている老人もいるかもしれないが、イヤイヤ駆り出されている老人もいるに違いない。それでも義理で拍手のひとつもせねばなるまい。無理矢理ヘタな劇を見させられ、更にはヘタな演奏まで聞かされて、今日は疲れたなあ、もうカンベンしてほしい、とほとほとイヤになっている老人たち。一方で、みなさん、喜んで頂いて嬉《うれ》しいデース、来年また来マース、と有頂天になってはしゃいでいるボランティアたち。これじゃ、どっちがボランティアかわからねえ。ボランティアする方は楽しいかもしれないが、される方は迷惑ということもあるのだ。自分の楽しみのために人に迷惑をかけてはいけないのである。

人は本当にやりたいことはお金を払ってもする。逆にある行為に対して、お金を払ってもらえるということは需要があるということだ。別言すれば、お金を払ってもしてもらいたい人がいるのだ。だから、お金になる労働は金にならない行動より、社会の役に立っていることは間違いない。ボランティアで老人ホームを慰問している人たちは、どこかのホールを借りて有料で演奏会をして義理以外で入場してくれる人がいるかどうか、一度考えてみたらいいと思う。ほとんどお客さんが来ないようであれば、今度老人ホームに行く時は、ただではなくて老人たちにお金を払って見て頂くようにしましょうね。

ボランティアしないとどうしても生きていけない、という人は仕方がないとして、それ以外の人は、ボランティアはなるべくするのはやめようね。本当に他人に喜んでもらいたいと思っている人は、お金をもらって働こう。

他人を当てにしないで生きる

アゲハチョウの幼虫やオタマジャクシは生まれた時から自分ひとりの力で生きている。もっとも、身を守る武器もないし誰も助けてくれないから敵に見つかれば、あっという間に食われてしまうが。生き残って親になれるかどうかは、ほとんど偶然に左右される。そうなると、親になれたのは単に運がよかっただけで、自分の力で生き抜いたとは言えないかもしれない。

生まれたばかりの哺乳類《ほにゅうるい》の子は親（特に母親）に保護されて生きている。母親が自分にミルクをくれるのを当てにして生きている、といってよい。他人を当てにしないで生きろ、と言われても、母親を当てにしなければ死んでしまうのだから、これはやむを得ない。赤ん坊の時は極端だけれども、人は一人前になるまでに長い養育期間が必要で、その間は多少ともだれかを当てにせずには生きられない。

昔は、兄弟姉妹が沢山いたのが普通だ。親は子供を扶養したには違いないが、親の愛情が自分だけに注がれることはなかったろう。親に何かをしてもらうことは当たり前のことではなく、多少とも有難いことだったのだ。封建時代であれば、親の意にそむくことをして勘当されたり、場合によっては殺されることもあったろう。育ててくれるだけでも御の字だったのだ。何かをしてもらうには待っているだけではだめで、たとえ子供であっても親に気に入られるような行動を自分からしなければならなかったろう。

現在は、事情は全く変わってしまった。少子化の影響もあって、子供の多くはちやほやされて育てられる。親の手伝いをしないでもごはんは食べさせてくれるし、教育も受けさせてくれる。学校は手とり足とり教えてくれる。能力がなくても努力をしなくても、小学校や中学校をやめさせられることはない。そればかりか高校にだって通わさせてくれるし、ひょっとすると大学にさえ行かせてくれるかもしれない。〝個性を引き出す教育〟という訳のわからないスローガンの下に、子供はみんなそれぞれ独特の才能があるというウソが流行している。こういうウソを真に受けると、子供が才能を発揮できなかったのは教育が悪かったせいだということになりかねない。

昔は学問をする身分でもない人が、本を読んでたりすると怒られた。本など読んで遊んでないで働けということだったのである。少くとも、学問は労働の妨げにならない限りにおいて許されたようなものであったのだ。たきぎを背負って本を読んでいた二宮金次郎である。現在の児童・生徒・学生は勉強だけしていれば、文句は言われない。図書館は充実しているし、インターネットはあるしで、情報を収集するのに困ることはない。それで勉強ができるようにならないのは、本人の能力が足りないか努力が足りないか、あるいはその両方か、のいずれかに決まっている。

学校の先生は教えるのが仕事とはいえ、能力が欠如している生徒ややる気のない生徒を、お勉強大好き人間にして、秀才にすることは不可能なのだ。しかし、お勉強ができない生徒をできる生徒にするのがいい先生である、との世間の物語はとても強く、そういう物語にどっぷり漬かっていると、生徒をほめたり、おだてたり、なだめたり、すかしたりして、少しでもお勉強をして頂こうということになる。それで、わからない所をしょっちゅう聞きにきたり質問をよくしたりする生徒はとてもいい生徒だということになるのだ。

よく考えてみると、これはとんでもない間違いである。本当は自分でとことん調べて、どうしてもわからない所があるので、忙しい先生の貴重な時間を浪費させてまことに申し訳ないが、教えて頂けないでしょうか、と言うのがスジなのだ。授業だけ聞いて、自分で勉強してわからない所は自分で調べて、先生の手をわずらわせない生徒や学生が一番偉いのである。授業に出なくても、すべてわかる学生はもっと偉い。先生は教えるのが仕事だから聞かれれば答えるであろうが（教育委員会と校長の顔色ばかりうかがって、教科の知識の修得に努力を傾けていない先生は、難しい質問には答えられないかもしれないが）、だからと言って質問に来る方が来ない方より偉いということはないのだ。

学校に通っている時に、親や先生を当てにして、自分のお勉強のためには、何でもしてくれるのが当然だと思い込み、お勉強ができるようにならないのは先生の教え方が悪いせいだ、などと思っているとしたら、それはとんだ勘違いである。もっとも、子供がこれだけちやほやされたら、そう思う子供が出てきても無理はないが。公立の小・中以外の学校では、親が金を払って教育というサービスを買っているわけだし、公立の小・中でさえ、先生は教育というサービス業に従事している労働者であるから、たとえば、あなたが質問に行けば、教えてくれるのは当然であるが、それはあなたがお客さんであるから、そうしているまでであって、あなた個人が大事であるからそうしているわけでは決してない。

これはものすごく重要なことだけれど、だれもあなたのことを無償で大切にする義務はないし、だれかに無償で大切にされる権利も全くないのだ。もちろん、学校に行けば学校はあなたのお勉強を様々な方法で支援してくれるだろうし、病院に行けば、もしあなたが病気ならばやはり様々な方法で病気を治すべく努力してくれるだろう。しかし、それはあなたという特定の個人が大切だからそうしているわけでは決してなく、システムとしてそうなっているからにすぎない。金を払ってしてもらうサービス以上のことを他人にしてもらう権利があると考えてはいけないのである。

日本の学校は、個人の自立を妨げるように妨げるように機能しているとしか思えない。他人を当てにして、他人にものを平気で頼み、断わられるとムカつくような人を育てているように思える。知人や親友や時に知らない人に何かを頼むことはよくあるだろうし、そのこと自体は別にとがめられるようなことではない。しかし、人には色々事情があり、あなたの頼みを常に聞いてくれるとは限らない。頼みを聞いてくれた時は素直に感謝し、断わられてもムカついてはいけないのである。

聖人君子じゃねえんだから、そうはいかない、と思っている人もいるだろうが、そういう人は、断わられてなぜムカつくのかをまず考えてみよう。

1、他人が自分の頼みを聞くのは当然だと思っていて、断わられると何であれ立腹する人。要するに単に自分勝手なだけの人。他人は自分の頼みを聞く義務はないのだ、ということがわかっていない。勘違いの人生を送るんだろうね。一度としてつき合いたくないね。

2、自分は相手の頼みを今まで何度も聞いたのだから、オレ（ワタシ）の頼みもたまには聞いてくれてもいいじゃないかと思う人。ほとんどの人はこのタイプであろう。就職のめんどうも見てやった。金も貸してやった。それなのにオレの頼みを断わるとは、恩を仇《あだ》で返す奴《やつ》だ、というわけだ。

これは心情としてはとてもよくわかる。しかしよく考えてみよう。元々なぜあなたは、相手の頼みを聞いてあげたのだろう。打算が全くなかったとは言えまい。ここで恩を売っておけば後でいいことがあるに違いないと思わなかったろうか。〝情は人のためならず〟というわけである。特にあなたがかなりの無理をして相手の頼みを聞いてやったのに、あなたの頼みを断わられた時はムカつく思いが強いだろう。そういう状況になれば、私だってムカつくだろうと思う。

ムカつくのが好きな人は勝手にすればいい訳だけれど、ムカつきたくない人は、どうすればよいのか。最初から無理をしなければならない頼みは、どんな親友の頼みでも聞かなければよいのである。簡単にできる頼みごとは聞くにしても（それでさえ忙しければ、私ならば断わるなあ）、それ以外の頼みは自分がその頼みを引き受けて楽しい場合以外は断わればよい。相手の頼みを聞くのに無理をしているから、恩を売った気分になるのだろう。無理をしなければ、恩を売った気分にならないわけだから、仇で返された気分にもならないと思う。相手も忙しかったり他に事情があるんだ、と思えば断わられても腹は立たない。どうしても、他人に頼まなければならないことは、実はそれほど多くない。たいがいの知識は、自分で調べれば判《わか》るし、それ以外のことは知人に頼むより公的なサービスを受けるか金で解決した方が早い。他人と気持ちよく長くつき合うには、恩を売ったり買ったりしない方がよいのである。

また、ある特定の人に自分の人生をあずけてしまうのも考えものだ。人はひとりでは生きていけない、というのは社会のシステムがそうなっているという話であって、ある特定の人がいなければ生きていけない、という話ではない。どんな特定の人が死んでも、どんな特定の人に見捨てられても、自分の力で生きていけるような生活力を身につければ、人は矜持《きょうじ》をもって生きていけると思う。それは、ある特定の人を尊敬したり、ある特定の人を生涯の師としようと決意することと矛盾しない。尊敬することは隷属《れいぞく》することと違うし、自由は孤独の上にしか成立しないし、孤独は連帯と矛盾しない。

もうひとつ、他人を当てにしないということで大切なことがある。あなたが人生の岐路に立った時である。どうしても自分だけでは決めかねる場合があるだろう。たとえば、がんの手術を受けるべきかどうか。信頼できるとあなたが思う医者の意見を聞き、他の医者の意見も聞き、様々な情報を収集するにしても、しかし、最後は結局あなたが決断しなければ仕方がない。重要なのは他人の意見を当てにしたり、うのみにしたりしないことだ。相手がこう言ったからその通りにした、と思ってはいけない。そうすると、失敗した時に相手を恨むことになりかねない。あんな奴の言うことを聞かなければよかった、とグチのひとつもこぼしたくなるに違いない。どんな場合でも最終決定はあなたがしなければならない。他人を当てにしないとはそういうことだ。

あるいは、大変いい条件で就職を誘われたり、転職を誘われたり、株を買うようにすすめられたりすることもあるだろう。話に乗って失敗したからといって、誘った人を恨んではいけない。決断したのはあなたなのだから。自由に生きることは結構しんどい。他人を当てにして生きた方が楽かもしれない。しかし、他でもない自分の人生なんだから、最後は自分で決める他ないのである。

他人の意見は所詮《しよせん》は他人の意見である。他人はあなたではないのだから、意見を求められても大方は当たり障《さわ》りのないことを言うだろう。すなわち世間の物語である。あなたはあなたにとって世界で一人しかいない唯一《ゆいいつ》の個人である。世間の物語が通用するかどうか、それもあなたが決める他はないのである。他人を当てにしないで生きるとは、社会と隔絶して生きるということでもないし、他人とコミュニケーションをもたずに生きるということでもない。自分の食いぶちは自分でかせぎ、自分の人生は自分で決定する、というごく当たり前のことにすぎない。

おせっかいはなるべく焼かない

他人を当てにすることと表裏をなしているのは、他人におせっかいを焼くことである。自分の子供の世話を焼くのはある程度は仕方がない。特に赤ん坊は世話を焼かなければ死んでしまうのだから、世話を焼かざるを得ない。だから、どんな人の世話も少くとも無償では焼きたくないという人は子供を産んではいけない。子供は全部税金で育てるといったようなシステムでもできれば話はもちろん別であるが。そういうシステムができるか、赤ん坊の世話は全部他人に有償でやってもらえる程金持ちであれば、赤ん坊のめんどうは見たくないけれども、自分の子供は欲しいというぜいたくも許されると思うが、そうでない人は、子供の世話を焼きたくなければ子供を作ってはいけないのだ。そんな人ばかりだと、やがて子供がいなくなって人類は絶滅してしまうに違いないが、人類が絶滅してはいけない超越的な根拠があるわけではないので、それでも一向にかまわないと私は思う。人口が増えすぎて沢山の人が飢え死にしたり、戦争が起きて大殺戮《だいさつりく》が行われたりするよりも、よほどステキだと思う。

しかし、実際は今の所、そういう人よりもそうでない人の方が多いわけだから、どんなにステキでも、子供が徐々に減っていって、ついには人類が絶滅することにはなりそうもない。むしろ、子供の世話を焼きすぎる方が問題かもしれない。といっても、赤ん坊の時は、世話を焼きすぎるということは恐らくないと思う。赤ん坊にとって、母親は他者とは言えず、自分と未分化な存在である。自我はまだ確立しているとは言えないから、どんなに甘やかしても、どんなに世話を焼いても、そのことによって、子供の未来にマイナスに作用する恐れはないだろうからである。

やがて、赤ん坊は立ち上がり、コトバを喋《しゃべ》り自我を主張するようになる。子供のやりたいことと、親が子供にさせたいことは微妙に異なってくる。自分が遊びたいばかりに、子供のめんどうを見ないで餓死させたり、子供が言うことを聞かないので虐待《ぎゃくたい》して殺してしまったりする親も稀《まれ》にはいるが、先に述べたように、こういう人は子供を作ってはいけないのである（もちろん、いけないといくら言ったり書いたりしても、子供が産まれるのは、倫理や道徳や論理とは無関係な生物学的必然だから、どうしようもないと言えばどうしようもない。親に見捨てられた子や虐待されている子をどう救済するかは社会システムの問題として、別に考える他はない。しかし、ほとんどの親は子供のためを思って(本当に子供のためになるかどうかはともかくとして)、子供がしたいことばかりではなく、子供がやりたくないことまでさせようとするのだろう。国家が大人に対して示すパターナリズム(おせっかい)は唾棄《だき》すべきものだけれども、親が自分の子供に対して示すパターナリズムは、とりあえずは当たり前だ。問題はその中身である。

子供が大人になって、自分の力で生きていく能力を身につけさせることは、子供を作った以上、親の責任である(親ばかりではなく、社会も共同責任を負うべきだと考えることもできる。義務教育はそのためにあるのだろう)。単純に言えば、読み・書き・そろばんである。この三つは強制的にでもさせなければならない。喋ることは、親が子供とコミュニケーションさえしてやれば、ほぼ自動的にできるようになるが、読み・書き・そろばんは教えてやらなければ普通はできない。小学校に入った子供は、まずこの三つを教わる。ほとんどの子供は、簡単な本を読めるようになり、簡単な文章なら書けるようになる。二ケタや三ケタの四則計算もほぼ全員ができるようになるだろう。普通の社会生活を営むには、この三つに加え、あっちの世界の人と思われない程度の常識があれば充分であろう。

芸術家とか、学者とか、プロのスポーツ選手とかの特殊な職業でない限り、簡単な計算と日本語の読み書きに加え、必要最小限の社会的ルールを理解していれば、たいがいの商売はつとまる。この程度の能力はほとんどの子供は身につけられるだろうから、ここまでは子供がいやがっても強制的にさせなければならない。しかし、普通は、親はそれ以上の能力を子供に期待して、ああしろ、こうしろ、とおせっかいを焼くのだろう。

けれども、すべての子がおせっかいを焼かれたからといって、それ以上の能力を身につけられるかどうかはわからない。持って生まれた才能はいかんともし難く、どんなに尻《しり》をたたかれても、ダメなものはダメなのである。困ったことに、どんな才能があるかはあらかじめわからない。だから親は、我が子が小さい時は、もしかしたらこの子は、天才音楽家になるんじゃないだろうかとか、天才サッカー選手になるかもしれないとか、様々な夢を描くことがとりあえずはできる。

どんな才能があるのかは試してみなければわからないので、子供が興味を持ちそうな様々な体験を幅広くさせてやる、ということは大切だろう。しかし、才能のあるなしは試してみてしばらくたてば大凡《おおよそ》判《わか》るから、いやがる子供に無理強いしても、労多くして功は少ない。小学校や中学校では、読み・書き・そろばん以外にも、音楽も美術もスポーツもやるのだから、友人と比べて自分の才能がどの程度のものかは本人がある程度は判る。

親が自分のなし得なかった夢を子供に託す気持ちも判らないではないが、才能の半分位は遺伝するのだから、あなたもできなかったし、子供も興味を示さないことを、無理強いしても時間とお金のムダである。子供は親とは別の人生を歩むのだから、親の価値体系を押しつけてはいけないのである。子供が真にやりたいことをサポートしてやることと、無理強いすることは違うのである。ない才能をたたいても普通はほこりしかでないものだ。もっともほとんどの子供は、それで金をかせげるような技芸をみがくことに興味を示さず、単に遊ぶことにしか興味はないかもしれないが。子供というのは幼ければ幼い程、未来を生きる動物ではなく現在を生きる動物であるから、今楽しいことに夢中になるのは仕方がない。

親が子供をコントロールしたがるさらなる理由は、他人に自分の子供を自慢したいことと、子供に権力をふるいたいことであろう。まず前者から。人は他人に認められたいとの欲望を抱いているらしいことはすでに述べた。しかし、大抵の人は他人に自慢できるものをそれ程もっているわけではない。仕方がないので、ブランド物のハンドバッグや夫の社会的地位などを自慢することになる。これらは自分の代理物なのだ。数ある代理物の中で最も代理物らしいのは自分の子供であろう。自分の子供を自慢することで自分を認めてもらいたい。そう思っているのであろう。その気持ちはよくわかる。自慢できるものは自慢して一向にかまわない、と私は思う。そのかわり、他人の自慢を素直にほめられればもっとよい。

しかし、そのために子供をコントロールしたいとなると話は別である。子供は別の人格であるから、たとえ親であっても他人にコントロールされるのはイヤに決まっている。成長すればする程その気持ちは強くなろう。子供をコントロールしてあなた好みの自慢の息子や娘にしても、その結果、子供があなたを嫌いになって、あなたを認めなくなったら損ではないか。他人に子供を自慢して少しばかり認めてもらっても、間尺に合わない、と私は思う。

子供をコントロールしたがるのは当然、権力欲の顕《あらわ》れでもあるが、子供のためという美名の下に、本人はそう思っていないという所がやっかいなのだ。大義名分の下に自分の秘《ひそ》かな欲望を満たそうとする行為が、人間として最も下品な行為なのだ。子供のサポートはする。でもおせっかいは焼かない。これが子育ての要諦《ようてい》なのだ。口で言うほど簡単じゃないかもしれないけどね。

子供をコントロールするのでさえ、権力欲の顕れであるとすれば、他人におせっかいを焼くのは権力欲の顕れに決まっている。頼まれたり、相談されたりしないのに、他人にああしろ、こうしろ、とおせっかいを焼くのはやめようね。他人が何をしようと他人の勝手なのだ。あなたには関係ないのである。他人をコントロールしてその結果、金もうけでもしようというのであれば、話は単純だからまだ可愛《かわい》げがある。最悪なのは、あなたの行為は世間が許さないよ、といった正義の仮面をかぶったものいいで相手におせっかいを焼くことである。

たとえば、新しく引越してきた人に、「この町内会のしきたりはこうなっているんだから、さしでがましいとは思いますが、かくかくしかじかのようにした方がいいですよ」と言う。本当にさしでがましいと思うなら黙ってろ。町内会など知ったことか。バカヤロウ。矢でも鉄砲でも持ってこいって。私ならすぐケンカだな。あるいは、「あなたのやり方では世間に通用しないから、こうした方がいいんじゃないだろうか、と老婆心《ろうばしん》ながら忠告したい」なんてふざけたことを言う奴《やつ》がいる。世間に通用するかどうかはやってみなきゃわかんないんだから、余計なお世話である。それに責任はオレが取るんだから、あんたには関係ない。七百兆円もの赤字こさえて、全く責任取らない政治家や官僚だって立派に世間に通用しているんだから、世間に通用するしないって、どういうことだと啖呵《たんか》のひとつも切りたくなるではないか。

世間という物語を背負って、他人におせっかいを焼くのはやめようね。それはあんたがバカだって証明以外の何ものでもないんだから。

退屈こそ人生最大の楽しみである

ほとんどの動物は、食物を探して、セックスをして、子育てをしてやがて死ぬ。動物でも食うことやセックスをすることに快感が伴うことは予想できるが、それ以外に楽しいことがあるのかどうか私にはわからない。人間も動物の一種であるから、食うこととセックスをすることは基本的な快楽だが（様々な理由で楽しくない人も時々いるけれども）、それ以外にも楽しいことがいっぱいある。

人間は社会的な動物だから、他人とコミュニケーションせずには生きていけない。他人とコミュニケーションすることが楽しいか、余り苦にならない人は、人並みの社会生活をして、そこそこ楽しい人生を送ることができるに違いない。みんなで集まってパーティーをするとか、知り合いとお喋《しゃべ》りをするとか、気の合った友人たちと小旅行をするとか、そういうことが楽しい人は幸せである。あるいは、ディズニーランドで遊んだり、映画を見たり、音楽を聞いたりすることが楽しい人も幸せである。

なぜならば、これらは世間公認の楽しみだからである。別言すれば、これらは好コントロール装置（すなわち権力）によって誘導された楽しみだからである。お仕着せの、あてがいぶちの、マニュアル通りの楽しみで満足できる人はとてもラッキーであると私は思う。別に皮肉で言っているわけではない。こういった楽しみで満足できる人は、自分の楽しみを満たすために非常な苦労をしたり、犯罪者になったり、借金をかかえて破産したり、等々の恐れが少いからである。

人殺しが楽しいとかレイプをするのが楽しいとかいう人は、自分の楽しみを素直に追求すると犯罪者になってしまう。犯罪者にならないためには、自分の欲望を行動に表わさないで頭の中だけで処理する必要があるが、これがうまくできないとめんどうなことになる。どんな反社会的な考えでも、行動に表わさなければ一向にかまわないと私は思う（そう思わないヘンな人も時にいる）。禁じられた欲望が頭の中にうずまくことによって、表現者（芸術家や作家）として成功することもあるだろう。しかし、一般的に言って、殺人とかレイプとかの欲望を抱いて生きるのは、結構しんどいと思う。こういう欲望を抱いている人は、できることならば努力をして、別の欲望を抱けるように、脳の回路を少々作り替えるべきだ。殺人やレイプがいけないのは赤信号を渡ってはいけないというのとはレベルの違う話なのだ。自由と平等を擁護する限り、前者の行為が合法になることはあり得ないのだから。いくら行動に表わさなければ問題ないといっても、それで一生、生き続けるのはストレスがたまりそうだ。

過度にバクチが好きな人も、楽しく生きるのが大変な人である。パチンコに狂って毎日数万円ずつ使っているオバサンとか、万馬券の夢を追って定職にもつかずに競馬場に通うオジサンとかは、それに耐え得る程の資産家でない限り、人生余り楽しくなりそうもない。

こういう人たちに比べれば、誰にも迷惑をかけないマイナーな楽しみを見つけた人たちは、過度に金のかかる趣味でない限り、なかなか幸せであると思う。私事で恐縮だが、私はカミキリムシという昆虫の仲間を収集して研究している。時に新種のカミキリムシを発見して専門雑誌に記載することもある。私の場合は半分は仕事だと強弁することもできるが、純粋に趣味でやっている愛好者も沢山いる。中には、すべての余暇と可能な限りの金をカミキリムシの収集に注ぎ込んでいる人もいる。カミキリムシ収集の妨げになるからといって結婚をしない人もいるし、子供を作らない人もいる。会社での出世を断わった人もいる。世間の人は何てつまらないことに血道を上げて、とあきれ返るかもしれないが、誰にも迷惑をかけていないのだから（奥さんにだけは迷惑をかけているかもしれないが）、本人が楽しければ、何の問題もないのである。一般にこういった趣味は、楽しみの基準が本人一人の嗜好《しこう》によって決定されているため、他人とコミュニケーションしながら楽しみを見出《みいだ》す遊びと違い、余り他人とつき合いたくない人向けであろう。

世間一般の多くの楽しみ（と称するもの）は、他人とつき合うこと自体を楽しみのなかに繰り込んでいるため、他人とつき合うのがにが手な人には、実は余り楽しくないのかもしれない。しかし、学校や会社といった組織では、みんなで集まって何かをすることが楽しいはずだ、との世間の物語を前提としているので、忘年会や社員旅行を断わったりするのは案外勇気が要るものと思う。仕事ではないのだから、しかし、楽しくないことはしなくてよいのである。

みんなが楽しいと心待ちにしている行事を断わったら悪いんじゃないだろうかと

か、変わり者と思われるんじゃないだろうかとか、きっと余計なことを考えるんだろうと思う。それで悩んで行事に参加して、楽しいフリをしてみたもののやっぱり楽しくなくて、早くお家《うち》に帰りたい、と思っているなんて、時間の損失ではないか。

そういう時にははっきり断わっていいのである。変わり者なんだから、変わり者と思われていいのである。むしろ、みんなにあいつは変わり者だから、と早く思われた方がいいのである。給料分の仕事だけをちゃんとしていれば、しばらくすればそういうものだと思って、周囲の人は行事に出席しなくとも、誰も不思議に思わなくなる。むしろ、たまに出席すると珍しがられるようになるだろう。出世は難しいかもしれないが、出世が人生一番の楽しみの人は、人づき合いも人生二番の楽しみの人であろうから、まあ、よいではないか。

マイナーな楽しみでも、人づき合いが不可欠なものもある。たとえば、性的な関係というのは、その中身について当事者以外の介入を受けることはないという意味で、マイナーな楽しみに違いない。しかし、楽しみの基準を自分だけの嗜好に合わせるだけではうまくいかないのはもちろんであって、楽しむためにはかなり高度なコミュニケーションの技術が要る。そのことはすでに述べた（「女（男）とどうつき合うか」の項参照)。だから、性的な関係を持つのが苦痛な人は、そんなものとは無縁に生きても別に問題はないのである。

人はなぜ楽しみを求めるのだろう。恐らくそれは退屈だからだ。朝から晩まで働いて、やっと食物にありつくような生活をしていれば、食うことと寝ることだけが楽しみのすべてとなり、それ以外の楽しみを考えつかないだろう。文明が発達し、市場経済が主流となり、多くの人々特に都会の人々は、かなりの余暇とお金を得た。何もしないのは退屈だから、何か楽しいことをして遊ぼうということになったのだ。

しかし、現代人の遊びには(現代人に限らず昔の人もさして変わらなかったかもしれないが)、どこか労働によって刷り込まれた価値観が反映しているように思えてならない。ヒトが野生動物であった昔から、延々と続いているであろう食と性の楽しみは別として、それ以外の遊びは、どれも何ほどかの目標とか目的とかリスクとかいったものから自由ではないみたいだ。

ゲームには勝つという目的がある。努力して勝ったときの爽快感《そうかいかん》は、商売が成功した時の擬似体験であろう。なかなか成功しない商売のストレスを晴らすためにやっているのかもしれない。スキーとかマリンスポーツには習熟していく楽しみと同時に、スリルとリスクが伴う。これも商売（労働）の擬似体験であろう。旅行やもっとシビアな遠征とか冒険とかにも目的を達成するという喜びがある。退屈をまぎらわすために、退屈とはもって非なるスリルとサスペンスと新奇性を求める。それが現代の遊びの要諦《ようてい》であろう。

それで楽しければ、それでもよいのだけれども、スリルもサスペンスもやがてマンネリになり、どんなに新奇なものもいずれ陳腐になる。すなわち、それらはいずれ退屈の列に放り込まれてしまうのだ。この循環に巻き込まれれば、それを逃れる術《すべ》はない。人々は更なる刺激を求めて、もっとエキサイティングな遊びに向かっていく。いずれ麻薬中毒にでもなるか、戦争でもおっぱじめなければ、収まりがつかなくなる。

そこで、こういう悪《あ》しき循環を断ち切るウルトラCを考えようというわけである。退屈そのものを楽しみに変えてはどうだろうか。退屈こそ人生最大の楽しみである。これは結構いけると思う。誰にも迷惑はかけないし、金も浪費することはないし、誰ともつき合う必要もない。遊びを労働の擬似体験ばかりに求めてきた頭を切り替えさえすればよいのだ。

たとえば、夜になって庭やベランダに出て満月をボーッと眺めてみる（満月が出てなければ半月でもかまわない）。よく見ると月には様々な模様が見える。昔の人はウサギがもちつきをしていたという。ほうとため息をつきながら月を見ている。するとと雲が月にかかって形を微妙に変えながら走り去っていくのが見える。二時間見ても三時間見てもあきない眺めだと思えれば、退屈は人生最大の楽しみになるだろう。

そんなこと楽しい訳がないだろうって思う人が、恐らく大部分だと思うが、それは実は訓練が足りないのである。スキーも水泳も最初は苦行であるが、ある程度以上の水準になれば、後は楽しくなるのと同様に、退屈も修行をすれば楽しくなると私は思う。私が自宅（八王子市高尾）で朝早く目が覚める（年寄りだから早起きなのだ）。夏であれば、四時過ぎにほんのり空が白み始めた所で、まずカラスが啼《な》く。耳を澄ましていると、カラスは二羽か三羽いて、飛びながら啼いているらしい。しばらくすると、ヒグラシが一匹カナカナカナ（朝はキンキンキンとも聞こえる）と鳴く。それを合図にひとしきりヒグラシの大合唱になる。雀《すずめ》が啼き出し、新聞配達がやってくる。そういった自然の営みに耳をそばだてて、私もまた自然の中のささやかな一員であることを実感する。退屈とは何とぜいたくな楽しみであることか。だまされたと思って、一度、ただひたすら退屈になって自然の声に耳を傾け、自然の営みを眺めてみよう。誰ともつき合わなくとも、お金がなくとも、人生最高のぜいたくを味わうことができるのである。試してみなければ損ではないか。

自力で生きて野垂れ死のう

人間は社会的な動物であり、ひとりでは生きられない、とよく言われるが、それは現在の社会システムが強い分業体制になっているからであって、人は本来生きようと思えば自分ひとりで生きていけるのである。生きるためには飢えと寒さをしのげればさしあたって充分であり、病院で手当てを受けなければ死んでしまうような病気にならなければ、ひとりで生きてもかなり長生きできるのではないかと思う。生きるために一番大切なことは食糧の確保であろう。資本主義体制下の消費経済の下では、食糧も他のほとんどすべての生活に必要な物資と同様に金で買う他はないが、金がなくても自給自足の生活ができれば、飢えて死ぬことはないわけだから、必ずしも賃仕事をしなくとも、職がなくても、生きる手だてがないわけではなかろう。

他人とつき合うのが嫌いな人であっても、ほとんどの人は、金をかせぐためにイヤでも他人とつき合わざるを得ない。しかし、自力で食糧を直接得ることができれば、職がなくても、賃仕事がなくても、人は何とか生きられる。自力で食糧を得るのは、現代社会ではなかなか大変で、金をかせぐ方が簡単だとは思うけれど、どうしても他人とつき合うのがイヤな人は、最終手段としてはそういう方法があることを知っていれば、少しは気が楽になると思う。人は、もはや逃げ場がないと悟った時に、進退きわまって自殺しかねない動物であるが、いざとなった時に逃げ場があると知っていると、逃げないで結構頑張れるものである。

土地さえあれば、畑を耕して、ブタかニワトリでも飼えば、とりあえず食うには困らない。一万年前以後の人類の生活は、つい最近まで基本的にこのようなものだったのだ。現代であっても、東南アジアの田舎での生活は、ほぼ自給自足であろう。ラオスやベトナムの田舎に行けば、家の周りに田と畑があり、家族の一員のように、ブタ、ウシ、ヤギ、ヒツジ、ニワトリ、イヌがいる。ラオスの田舎にはトイレはない。家の周りの適当な所で用を足すとブタがやってきて食べてしまう。極めて清潔ではないか。お金は石油や煙草《たばこ》を買う以外にはほとんど必要ない。衣類も場合によっては自分で作る。酒も自家製である。

日本の田舎は、今や完全に消費経済に組み込まれてしまったので、基本的には売るために農作物を作っている。効率を追求するために、ラオスの田舎のように、何でも作って何でも飼うということはない。稲作農家は稲しか作らないし、果樹農家はモモやブドウやリンゴやナシしか作らないし、畜産農家はウシやブタを飼うばかりである。

あなたが田舎に土地を少しばかり持っていて、他人とつき合いたくない生活をしたいならば、日本の農家のまねをしてはダメである。あなたが食べるためだけに食物を作るわけだから、多種類を少しずつ生産する必要がある。稲と野菜を少しずつ作り、カキやビワやザクロなどを植えて、ニワトリを数羽飼えば、とりあえず、栄養的には大丈夫であろう。毎日の労働は大変だけれども、ものを売ったり買ったりしないのだから、他人とつき合う必要はない。テレビも新聞も見ない。電気もないから暗くなったら寝る。

病気が心配だろうけれども、他人とつき合わないわけだから、世の中で風邪が流《は》行《や》ろうと、エイズが流行ろうと感染《うつ》る心配はない。糞尿《ふんにょう》は充分に寝かせてから肥料にすればよい。すべて自分の糞尿であるから、たとえ口に入ったとしても、わけのわからない寄生虫に感染することはない。誰にもわずらわされることなく、誰にも迷惑をかけることもない。世の中で最も上品な生き方というのがあるとすれば、これを措《お》いて他にはないだろう。くだらぬ正義とやらを振り回して戦争をしたり、他人を殺したり、他人の金を右から左へ動かして利ざやをかせいだり、税金をかすめとったり、公共事業という名の自然破壊をしたりすることに比べたら、その上品さは月とすっぽんの違いがある。

但《ただ》し、病気になっても誰も助けに来ないのだから、ひとり寂しく死ぬ覚悟が要る。脳死になるまで生きている恐れはないから、死体から臓器を取られることもない。ステキだ。もっとも、死んだことを誰も知らないわけだから、臓器を取ろうにも誰かに気づかれた時は、恐らく腐りかけているか、場合によっては骨しかないはずだ。苔《こけ》むす屍《かばね》である。死ぬとハエが飛んでくる。シデムシがやってくる。カラスが飛んで来られるような場所なら、カラスに目玉をつつかれるかもしれない。これらの動物たちにあらかた食われて干からびた屍は、最後にコブスジコガネやカツオブシムシに食われて骸骨《がいこつ》となって残る。個人的な好みを言わせてもらえば、私はできることならば、死体を他の動物たちに食べさせてやって、散々他の動物たちを食ってきた最後の贖罪《しょくざい》をしたい。賛成してくれる人は多くないかもしれないけどね。東京で普通に死ねば、どうあがいても火葬にされてしまう。死体をウジに食われたいなどというぜいたくは、なかなか叶《かな》う夢ではない、と考えるだけでも楽しいではないか。

ひとりで死ぬのは寂しいかもしれないが、病院で死ぬのより苦しくないと思う。何よりも余計な延命措置をされないですむ。もっとも金がないし保険にも入っていないとなると、病院に入れてくれないに違いない。墓の心配もしないですむ。死んだ人が立派な墓に入って生きている他人や他の生物の邪魔をするのはよくないと思う。死んだら土に還《かえ》ってお仕舞というのが最も上品な死後である。死んだ後も墓参りに来いと言って、他人の時間を奪うのは下品であろう。

ところで、賃仕事はイヤだから、自給自足をするといっても、どこかに土地を確保できなければ、今書いたような生活は不可能である。そういう人はどうすればよいのか。さらにすごい方法がある。狩猟採集民になればよいのである。一万年以前の人類の一般的な生活である。現在では、アフリカやアジアや南アメリカ等々にほんのわずかに残るだけだ。日本では、恐らく今は純粋な狩猟採集民はいないと思う。少し前に、アイヌ最後の狩人《かりうど》、姉崎等さんの『クマにあったらどうするか』（木楽舎）と題する本を読んだ。この人は、まだ雪深い北海道の春山で、米と塩だけで野宿をしながらクマ猟ができるというすごい人だ。普通の人は当然凍死する。

ガキの時から狩猟採集民としての生活をしている人はともかくとして、あなたに姉崎さんと同じことをしろと言っても、できないに決まっている。しかし、食うに困ったら、川や海で魚を採ったり、山で山菜やキノコを採るぐらいのことは少し練習すればできるようになる。都心でホームレスをしている方が体は楽かもしれないけれど、狩猟採集民の方が断然上品であることは間違いない。

食えるものは、魚にキノコに山菜だけではない。もっと簡単に採れてうまいものは昆虫である。これはとっておきの方法だから、実は余り教えたくない。いずれ私がやろうと思っているからだ。それでも少しだけ教えると、ほとんどの昆虫は食べられると思ってよい。普通の人は絶対に食えないと思っているものでも食えばうまい。

セミ、ハチノコ、カミキリムシの幼虫、などはうまいものの筆頭である。ウジもゴキブリもコオロギもカメムシも食える。春から秋にかけては、山野を歩き回って昆虫を捕って食べていれば餓死することはない。困るのは冬である。日本の冬は寒すぎて、凍死しないような寝場所を自力で確保するのは難しい。だから、普通の人が四季を通じて、完全狩猟採集民の生活をするのは日本では恐らく不可能に近い。相当の資材の用意があればできないこともないだろうが、それだけの金があれば、冬だけはコンビニで弁当でも買って、安下宿で耐えていた方が賢いかもしれない。

私は何を言いたいのか。他力を頼まず自力で生きて、力が尽きたら死ぬのが最も上品な生き方だ、ということだ。働けなくなったら、金をかせげなくなったら、誰かにめんどうを見てもらうのは当然ではないのである。そうなったら野垂れ死ぬのが当然なのだ。それは自分ひとりで自給自足の生活や狩猟採集民的生活をすれば、ごく当たり前の帰結である。

社会のなかで、賃仕事をしている人でも、自由に自力だけで生きようとする人は、最後は野垂れ死にを覚悟する必要がある。自由に生きたいけれど、死にそうになったら助けてくれという人は、自由に生きる資格がない。そういう人は、不自由に生きて、不自由に死ねばよいのである。私は何の文句もない。但し、不自由に生きて、不自由に死ぬよりも、自由に生きて、野垂れ死ぬ方が、はるかにカッコイイと思うだけだ。死んだ後まで戒名など付けて、ウジウジと現世につながっているのはさらに下品である。人は死ねば死にきりである。それでよいではないか。

II

他人と深く関わらずに生きるためのシステム

究極の不況対策

日本は十年前にバブルがはじけて以来、ずっと不況である。不況だと職や賃仕事を探すのが難しく、生きるのが好況の時よりもずっと大変である。現在の日本の不況はいわゆる消費不況で、物が売れないのが原因であると言われている。普通、買うお金がなければ物は売れない。しかし、今の日本の状況は、金は余っているのだけれども、物は売れないということらしい。銀行が貸し渋りならば、お客さんは買い渋りである。

仕事でかせいだお金は、消費財を買うか、株や土地などの資産を買うか、お金のまま持っているか、のどれかである。寄附をするとか人にあげるとかという人もいるかもしれないがごく稀《まれ》だろう。バブルの頃は、皆、目の色を変えて資産を買いまくった。お金で持っているよりも、資産で持っている方が、将来的にはずっと得であると思ったからであろう。実際、皆がそう思えば、資産を買おうとする人が増えて、資産の価格は上がるわけだから、資産を買うのは正解ということになる。松原隆一郎は『「消費不況」の謎《なぞ》を解く』（ダイヤモンド社）の中で、バブルも好況も不況も人々の気分のなせる業であると主張している。

日本の個人金融資産（預貯金や株など、大半は預貯金）は一九九〇年には一千兆円足らずだったのが、毎年増え続けて二〇〇二年には約一千四百兆円となった。個人金融資産の量という観点からは、日本全体は明らかに金持ちになったのである。お金がなくて物が買えないのではなく、お金があるのに物を買わないのだ。なぜ、物を買わないのだろう。松原流に言えば、それは世間全体が物を買いたくない気分になっているからであろう。少々お金に余裕があっても、物を買うよりは現金で持っている方がよい。

色々原因はあるだろうが、一番大きいのは将来に対する不安だろう。五十代、六十代の一番余裕のある世代は、将来のことが一番不安な年代でもある。年金は目減りしそうだし、老人医療費は値上げされそうだし、退職金だってどうなるかわからない。お金がなければ生きていけないかもしれない。野垂れ死んでもいいではないかと私は思うが、そう思わない人の方が多いのだろう。

　二番目の原因は、高価な物を買わなくともとりあえず生きるに困らないということだろう。家もあるし車もある。冷蔵庫も洗濯機もクリーナーもある。食料と少々の衣料と日用雑貨さえあれば、生活するのに不自由なことは何もない。物が売れなければ、会社はもうからないから人を雇えない。リストラ（本来は再構築という意味だ）という名の首切りが進み、首を切られた人はもちろんお金を使わなくなるし、それを見ていたり、報道で知ったりした人々は、明日は我身かもしれないと思って、財布の口を益々締めて、物は益々売れなくなり、不況は更に進むのである。物が売れなくなれば、物価は安くなってお金の価値は相対的に上がるから、お金を使う人は益々減って悪循環が続くのである。

　不況になって一番の問題は、当然、失業者が増えることだ。カネは天下の回りものといって、物を売ったり買ったりしてお金がグルグル回るから、資産のない人も労働というかたちでこの循環に組み入れられて、物を買うことができるのである。このお金が回らなくなると循環の規模が小さくなるから、あぶれる人がでてくる。この循環に乗らないで生きられる人は、第Ⅰ部で述べたように、自給自足の農耕生活をする人か、さもなくば狩猟採集民だけである。こういう生活をするよりも、労働をしてお金をかせぐ方が楽だ、という多くの人にとっては、働きたいのに職がないのはとても困る。

お金を持っているのにお金を使わない人は、不況に加担することによって、経済的弱者の首をしめているのである。この人たちが貯金をどんどん使えば、不況はおのずと解決する。といっても、強制的にお金を使わせることはもちろんできない。お金を使いたくなる気分になってもらう必要がある。

ひとつのやり方は、あんたの寿命はもう長くないのだから、金を使って死ななきゃ損だよ、と思わせること。六十五歳のじいさんの平均余命は十数年だろう。三千万円の貯金があれば、毎年二百万円ずつ使っても、死ぬまでに使い切れるかどうか。死ぬ間際《まぎわ》に病院に大金を払うよりも、元気なうちにどんどん金を使って遊んだ方がよいと私ならば思うが、人間の頭は、こと自分の話になると合理的にはできていないので、そういう理屈で金を使う気分にはならないのだろうね、きっと。百歳のきんさんぎんさんだって、テレビの出演料の使い道を聞かれ、老後に備えて貯金します、と言ったぐらいだから無理もないか。

二番目のやり方は、老後に備えてお金を貯《た》める必要がないくらいに、老人福祉を充実させてしまうこと。極端に言えば、無一文になっても、充分な医療と生活が保証されるならば、老後に金がなくても困らないから、お金をどんどん使うだろうというわけだ。しかし、そのためには膨大な税金を注ぎ込む必要がある。そうでなくとも、七百兆円もの借金を国はかかえているわけだから、そんなバカげた政策はとれるはずがない。補助金と称して本来、国がやる必要がないことに、借金をしてまで税金を注ぎ込んできたので、七百兆円もの借金ができてしまったのだから。

それに努力をしなくとも、オンブにダッコで国にめんどうを見てもらおうという根性は唾棄《だき》すべきものだ。だれかにめんどうを見てもらわなければ生きられない身になったら、人は野垂れ死ぬのが正しいのだ。そこで、金持ちにお金を使ってもらう第三の（私の考えでは）究極の方法を披露しようというわけだ。

消費財を買ったお金を、すべて例外なく必要経費として認めればよい。ただ、それだけであるからとても簡単だ。そのかわり消費税を二十〜三十パーセントぐらいにすればよい。とりあえず、三年ぐらいの時限立法にすれば、消費不況はあっという間に終わるに違いない。何を言っているかよくわからないって。それでは具体的に説明しよう。

たとえば、給与を一年で一千八百万円もらっている人がいたとしよう。五十歳代の大会社の幹部クラスだろう。この人がどのくらい税金を納めるかちょっと計算してみよう。所得金額は一千五百四十万円（給与所得は自動的に必要経費が決定され所得金額が決まる。フザケタ話だ）。所得から差し引かれる金額（保険料控除とか配偶者控除とか基礎控除など）が仮に三百万円あったとしよう。課税される金額は一千二百四十万円。税額は二百四十九万円である。特別減税とかがなければ、国税だけでこれだけ納めなければならない。住民税はまた別だ。

さて、この人が消費財として年に五百万円使ったとする。現在の税法では税金はビタ一文安くならない。そればかりか二十五万円の消費税をとられる。これを全部、必要経費にするとどうなるか。税金は百十五万円に減る。仮に年に一千万円使ったとしよう。税金は二十四万円となり、ほとんど払わないですむ。税金を払わないですむならば、何か買おうと考える人は多いだろう。もっと極端な話をすれば、消費財だけではなく、戸建の家や土地を買っても、所得控除の対象になるというのであれば、金に余裕のある人は土地や土地付きの家を買うだろう。

たとえば、課税金額が一億円ある人の所得税額は三千四百五十一万円である。すべて所得控除の対象となるならば、七千万円の土地を買えば、課税金額は三千万円となり、所得控除は八百六十一万円、一億円の土地を買えば、所得税はゼロになる。株を買っても控除の対象にすれば（それはちょっと違うんじゃないかと思う人が多いかもしれないが）、株価もバンバン上がるだろう。土地や株については微妙な問題があるとは思うけれども、家を建てたり、マンションを買ったりするのは、消費不況を解消する方途としてとてもよいと思う。家を含めてすべての消費財の代金を必要経費として所得控除の対象にすれば、税金を払いたくない人は、買い控えていた物を買うに違いない。特に期限つきであれば、高い外車やマンションを買う人も多くなるだろう。

そういうことを書けば、金持ち優遇だと文句を言うおろかな人がいるけれども、金持ちが金を使うのは実は人助けみたいなもので、それで景気が良くなって貧乏人もおこぼれにあずかれるとすれば、文句を言う筋合いは全くない。消費税は一律二十〜三十パーセントにすれば、税収についてもそれほど問題にはならないだろう。

たとえば、仮に消費税を二十パーセントにしたとしよう。先に述べた、給与一千八百万円で、所得税を二百四十九万円払っている人を考えよう。この人が五百万円使ったとする。現行ではこの人の払う税金は、二百四十九万円プラス消費税二十五万円の計二百七十四万円だ。私の提案したやり方に従えば、税金は所得税の百十五万円プラス消費税百万円の計二百十五万円。仮に一千万円使ったとすれば、現行では税金は二百四十九万円プラス消費税五十万円の二百九十九万円。私の提案したやり方では、税金は所得税二十四万円プラス消費税二百万円で計二百二十四万円。どれもさして変わらない。それで消費不況が解消されるならば、社会に与える利益は少しばかりの税収の差にはかえられないと思う。

仮に消費税率を三十パーセントにすれば、私の提案したやり方で五百万円使った時に払う税金は、所得税の百十五万円に消費税百五十万円の計二百六十五万円。一千万円使った時は、所得税二十四万円プラス消費税三百万円の三百二十四万円で、税収はむしろ増える。だから、税収に関してもさしたる問題は生じないのだ。消費税率を上げれば、貧乏人は不利だと言う人もいるが、貧乏人は元々税金をほとんど払っていないのだから、余り文句は言わない方がいいと思う。物を買うのは、自分の欲望を満たすためであるから、その時に税金を払う方が、所得に対して税金を払うよりも、本当は合理的なのである。

何でも買えば必要経費にしてもらえるといっても、年収五百万円の人は一億円のマンションは買わない（買えない）だろう。しかし、年収五千万円の人は買うかもしれない。この人は当然所得税（一千五百万円ぐらいだ）はゼロになるが、消費税を二千〜三千万円ほど払うことになる。金持ち優遇とはとても言えまい。

繰り返して言えば、金持ちになるべく気持ちよくお金を使って頂くことが景気回復の道なのである。そのためには、お金を使えば使うほど、所得税は安くなりますよ、との甘言のひとつも必要なのだ。お金持ちがお金を使うのは、社会のためのノブレス・オブリージュ（高貴な人の義務）なのである。あなたは今貧乏で、金持ちクタバレと思っているかもしれないが、自給自足生活か狩猟採集民にならない限り、金持ちがクタバル前にアンタが先にクタバルのは確実なのだから、金持ちをおだてて、お金を使わせる政策に、賛成しようね。

国家は道具である

国家は道具である、などと主張すると怒る人がいるかもしれない。日本が滅んだら、日本人の大部分は困るのだから、個々の日本人よりも、やっぱり日本という国家の方が大事だろう、と思っているのかもしれない。そう思っている人がいることは否定しない。この人の頭の中には国家という実在感がはりついているのだろう。もしかしたら、国家は実体だと思っているのかもしれない。

中には国家は生物の個体に比すべきもので、個々人は細胞のようなものだ、と考えている人もいるに違いない。しかし、これは明らかに間違いである。生物の個体が死んだら、個体を構成している細胞は生きていけない。細胞培養をすればシャーレの中で生きていけるけれど、単細胞生物と違って自力では生きていけないことは明らかだ。個人は国家が消滅しても、そのことだけで死んでしまうことはあり得ない。個体の生存のために、細胞は死を余儀なくされることも多い。たとえば、生物がちゃんとした形を作り出すためには、アポトーシスと呼ばれる細胞のプログラム死が必要不可欠だし、個体がウイルスに感染されれば、ウイルスが侵入した細胞は容赦なく殺される。そうしなければ、個体が死んでしまうからだ。我々は自分の生存のために、自分を構成する細胞が少々死んでも当然だと思っている。

国家を至上とする立場からは、個々人もまた、個人にとっての細胞のように、国家存続のために、必要とあれば死ぬのも仕方がないと考えろということなのであろう。これは一見、筋が通ったお話のように感ぜられるかもしれないが、実はとんでもないウソなのである。生物の系列にとって最高次の存在は個体なのであって、細胞も社会も、個体の生存のための道具なのである。高等動物とくに人間においては、個体は意識を持つし、自由意志も持つ。細胞は意識を持たない。社会も国家もそれ自体としては意識も意見も持っていない。

国家の意見とか意志とか称するものは、結局の所、誰か個人の意見か、様々な個人の意見を調整した妥協の産物なのである。専制君主が、「朕《ちん》は国家である」とうそぶいている国家とは、専制君主の私有物であって、国民は奴隷《どれい》である。この場合、国家というのは一個人の所有物のことであって、個々人を要素とする全体などではないから、個人より国家が大事という話は大ウソであることはすぐわかる。

現代の国家は専制君主が支配している国家と違い、多くは民主主義の国家である。民主主義国家の国家意志は、一応たてまえとしては多数決で決定されることになっている。多数決で決めた国家意志に、少数者も絶対従えというのは、しかしよく考えれば数による暴力みたいなものである。多数者が自分たちに有利で、少数者に不利な政策を決定することは可能だからである。

たとえば、何のかんのと名目をつけて、特定の団体や事業に補助金を注ぎ込んだとしよう。補助金というのは税金であるから、補助金をもらった個人（あるいは組織）は得をして、そうでない人は損をする。民主主義というのは、多数決によって決めた法律によって、そういう不公平なことができる制度であるから、放っておけば、必ずそういう話になってくる。現代の民主主義国家のほとんどは、政策の決定や立法に関して、直接民主制を採用しておらず、間接民主制を採用しているので、代議士や政府の中枢《ちゅうすう》にいる人々に有利なことになり易《やす》い。

たとえば、政党助成金という名のどろぼう行為がある。党派を組むのはもちろん自由であるが、代議士を沢山擁する党派であればある程、沢山税金をもらえるというのは、多数決に名を借りた税金どろぼうである。あるいは潰《つぶ》れそうな私企業に税金を注ぎ込むなんていうことも、考えてみるまでもなく税金どろぼうであろう。大企業であればある程、潰れそうになった時に税金で助けてもらえる確率が高いのは、代議士や、政府の中枢の政治家や官僚の利害がからむからである。それが証拠に、中小企業が潰れそうになっても、税金で助けてくれるなんてあり得ないし、税金で助けてもらった大銀行は金を貸してさえくれない。

あれやこれやを考えると、民主主義の国家の実態は、特定の人たちの金もうけのための道具であると、言った方がよさそうだ。専制君主の時代は、国家は君主ひとり（とその取り巻き）の道具であったのが、現代では、特権階級の道具になったのだ、とごく乱暴には言えそうである。しかし、さすがに、そうあからさまに言うのははばかられる。何と言っても、民主主義の世の中では政治家は選挙で落ちたらタダの人だ。そこで、選挙民に利益誘導することと、特権をなるべく擁護するような法律を作ったり、政策を遂行したりすることに腐心することになる。

国家が自分たちの道具であることを隠蔽《いんぺい》するためには、国家は崇高で命をかけても守るに値する実体であるかのような物語も流す必要がある。小・中・高で教職員や生徒に、無理矢理、日の丸を仰がせて君が代を歌わせるのもそのひとつであろう。国家はただの道具なんだから、そういうペテンにくれぐれもだまされないようにしようね。

私がそういうことを書くと、お前はアナーキスト（無政府主義者）だろうと言う人がいる。私は国家が必要ない、と言っているわけでは決してない。道具は道具らしくしていれば、それでいいのだ、と言っているだけだ。

すでに述べたように、現行の国家は一部の人々にだけ都合のよい道具である。それは、すべての人は等しく自由で平等で、制度の前に対称でなければならない、という私の考えからはるかに遠い。

世の中には様々な人がいる。金持ちもいれば貧乏人もいる。才能のある人もいれば無能な人もいる。他人とつき合うのが好きな人もいれば、他人と深く関わるのがきらいな人もいる。国家はそういうすべての人にとって、なるべく平等に役に立つ道具であってほしい。それでは、すべての人にとってよい道具とは何かを考えてみよう。

まず使い方が簡単なこと。読み・書き・そろばんができる程の人ならば、誰でも理解できる道具でなければならない。現行の法律は沢山ありすぎるし、複雑すぎて、専門家以外は理解できない。法律は必要最小限でよいし、しかもなるべく簡単なものでなければダメである。弁護士をやとって法律の抜け道を考えられる人には、法律は複雑でもよいだろう。法律の専門家は、法律が誰にでもわかる簡単なものになったら、自分たちの存在理由がなくなって困るだろう。官僚は自分たちが法律の運用権を握っていることによって、権力を維持している面が強いので、法律は一般国民にはなるべく判《わか》らない、難しいものの方が有難いに違いない。

現行の国家は、こうした人たちの特権を守るために、法律を無闇《むやみ》に難しくしているのではないかと、私は思う。しかし、法律というのは素直に考えれば、法律関係者の利益を守るためにあるわけではないのはもちろんだ。誰にでも理解できる法律であれば、一般国民にとってはとても便利だ。社会のシステムが複雑なのだから、法律も複雑なのは当たり前だ、と言う人もいるだろうが、複雑なシステムの中で、国民を国家（すなわち特権的な一部の人々）に都合が良いようにコントロールしようとするから法律が複雑になるのであって、人々の自由意志にまかせれば、社会システムは複雑でも法律はそれ程複雑にしなくてすむ。

たとえば、国家が少子化をコントロールして子供の数を増やそうと考えたとする。まずやることは、子供を沢山作った人に便利あるいは有利になるような様々な法律を作ることだ。たとえば、育児休暇を有給休暇とは別に取れるとか。児童手当てを増額するとか。所得控除を増やすとか。制度を色々いじって、子供を沢山作らせようとするわけだ。しかし、こういうやり方こそ、唾棄《だき》すべきパターナリズムの典型なのだ。子供を作ろうが作るまいが、それは人々の勝手なのだから、国家（一部の人々）が余計なことを考える必要はないのである。国家は道具なのだから、主人（国民）をさしおいて、余計な法律を作って、余計なことをしてはいけないのである。

国家は、人々の自由と平等を守るために、必要最小限のことをすればよいのであって、それ以外のことをする必要はないのだ。もっと強く言えば、それ以上のことをするのは罪悪なのである。

殺人や強盗やレイプが起きても、犯人がそのまま自由であると、人々の対称性の権利は守られない。強い奴《やつ》や悪い奴が勝手気ままなことをするからだ。だから、人々の自由意志を奪うような行動をした者は、つかまえて処罰しなければならない。それには個人や個人の集団よりも強い装置が必要だ。

犯罪が起きた時に、犯人の集団よりもこの装置が弱ければ、どうにもならない。だから警察はどんな暴力集団よりも強くなければならない。そのためには相当数の警官と組織力が必要である。国家で一番重要なのは、文部科学省のような、マイナスの（不必要で税金のムダである）役所ではなく、警察なのである。

次に、つかまえた犯人を適切に裁かなければならない。そのためには裁判所はどうしても必要だ。但《ただ》し、情状酌量をしたり刑の執行を猶予《ゆうよ》したりしてはいけない。個々人の考えや犯罪を犯した背景は様々であり、そのうちのどれはより許されて、どれはより許されないか、という判断は人によりけりであろう。国家（裁判所）は道具なのだから、そういう判断をする権利は金輪際ないのである。情状酌量の余地がなければ、裁判はとっても簡単である。殺人は無期懲役、レイプは懲役六年、放火は懲役七年とか決めておけば、それですむ。

次に必要なのは刑務所である。ここでも重要なことは、裁判で決定した刑期はどんなことがあっても守ることであり、模範囚だからといって刑期が完了する前に仮釈放してはいけないことだ。国家（刑務所）は道具なのだから、何が模範かを決定する権利はない。

道具としての国家に、最低限必要なのはとりあえずこれだけである。他にも必要なものはあるかもしれないが、これだけあれば、人々は命や財産を取られる恐怖からずいぶん免れるだろう。

もうひとつ必要なものがある。それは税務署である。警察や裁判制度や刑務所を維持するには、お金が必要だ。それは税金というかたちで取る他はない。

税金をどのように集めるかは結構めんどうな問題であるが、それは別に論ずる。重要なことは、特定の個人や団体や行為に対して、税法上の優遇措置を講じてはいけないことである。たとえば、現行の税法では政党に寄附をすると、税金が安くなるが、とんでもないことだと思う。もし、そういう制度を作るのであれば、いかなる団体や個人に寄附をしても、税金が安くなる制度でなければならない。特定の団体に寄附をすれば、税金をまけてやろう、などといったことを決定する権利は、道具（国家）にはない。これは極めて重要なことだ。

それと同時に、商売の自由を制限する法律や、特定の個人や団体に税金を注ぎ込むことを可能にする法律は、原則として作ってはいけないのだ。そのような姑息《こそく》な手段によって、国家が国民をコントロールしようとするのは罪悪である。法律は様々な考えをもつ人や様々な生活様式をもつ人に等しく平等でなければならない。そのためには、国家が余計な価値判断をしてはいけないのである。国家は様々な価値基準をもつ個人にとって等しく使い勝手のよい道具にならなければいけないのだ。法律はそのためにこそあるのだ。他のすべてを忘れても、これは忘れてはいけないほど重要なことだと私は思う。

構造改革とは何か

構造改革というコトバが叫ばれ出して久しいが、政府のやっている構造改革というのは、制度をほんの少しだけいじって、役所や官僚や政治家の権限を温存するか、場合によっては強化しようとするもので、これでは構造安定であって、構造改革にはちっともなっていない。政府の言う改革とは実は非改革の別名だったりするので、だまされないようにしようね。

たとえば、個人情報保護法という名の法律は、幕を開けて中身をよく見れば、マスコミやジャーナリズムに対する表現規制法であり、取材規制法であることが明らかとなった。大体、市井《しせい》の一般人は保護すべき情報などそれほど持っているわけではない。将来的に個人情報として重要となるのは、個人の遺伝子情報であろうが、この保護をどうするかについて、個人情報保護法はザルのようなものだ。一方で、メディアに様々な悪行を暴《あば》かれると困る、一部の政治家や高級官僚や大企業の役員は、個人情報保護と称して、メディアの攻勢をかわすことができる。個人情報保護法とは実は、悪徳特権階級保護法なのである。

今のままでは、構造改革も個人情報保護法と同じ穴のむじなになる（すなわち、実質は名の反対となる）可能性が強い。役所に補助金（税金）の分配権限と許認可権を与えている間は、構造改革など、所詮《しょせん》、絵にかいた餅《もち》にすぎないのだ。構造改革をする目的は、税金をなるべく使わないで、国民の自由と生命を守れる道具（国や自治体）を作ることにあるのだから（と少くとも私は思う）。

しかし、改革と称して税金を使うことばかり考えている人もいて、話はなかなか進まないのが現状である。たとえば、首都機能移転という計画がある。首都機能移転にどのくらいお金（全部税金だ）がかかるかと言えば、国会を中心に移転する第一段階（約十年間）で約四兆円、数十年後までの総額で十二兆三千億円という。これは政府の試算で、実際にはもっと金がかかると考えられている。首都機能はとりあえず不全になっているわけではないのだから、これだけの税金を注ぎ込むのは明らかにムダであろう。

ところで、首都機能を移転する大義名分は、首都機能を移せば、様々な既得権益から自由になって、地方分権や、規制緩和、行政組織のスリム化等々の構造改革が進む、というのだから、開いた口がふさがらない。地方分権や規制緩和や行政組織のスリム化は、税金をなるべく使わないで、民間の活力で景気を浮上させ、経済を活性化させるために是非必要であるが、それは、首都機能がどこにあるかとは直接、何の関係もない。十二兆もの税金を使うこと自体が、そもそも構造改革とは矛盾する。首都機能を移転すれば既得権益から自由になるなんてウソもいい所だ。既得権益をなくすには、それを保護している様々な補助金や許認可権をなくす以外に方法はない。首都移転をすれば、既得権益にさらに新たな権益がプラスされるだけに決まっているではないか。

構造改革のために首都機能を移転するというお話は、さすがにウソが見え見えだったのだろう。東京一極集中の是正、大規模災害に見舞われた時の保障のため、交通渋滞や住環境の改善、等々のわけのわからん理由が次々に出てきた。次々と移転理由が挙げられること自体が、首都機能移転に大義がないことの証拠である。本音は公共事業をやって、金もうけをしたいだけなのではないかと思う。これでは不必要なダムを造るのとおんなじである。公共事業という税金のたれ流しによる景気対策はもはや破綻《はたん》しているからこそ、構造改革が叫ばれているのではないか。もちろん必要な公共事業はやらねばなるまい。ちょっと雨が降ったら川は氾濫《はんらん》し、道はズタズタでは生活できないのだから。

構造改革が進まない最大の理由は、政府や官僚や自治体が、現場の組織や民間企業や一般国民をコントロールしたいという欲望（権力欲）を捨てることができないからだ。たとえば、大学改革という名のバカ騒ぎがここ何年も続いている。私はそれにつき合わされてエラい目に合ったのでよく知っているのだが、学部改組ひとつするにも、改組の目的からはじまるお題目だけの文章を作って、文部科学省に持っていって認可をしてもらう必要がある。独立行政法人になったら、自由裁量の余地が増えると言われているが、改革をやる度に自由度は減ったから、今度も恐らくダメだろう。ダメな理由はわかっている。文部科学省が大学をコントロールしたくて仕方がないからだ。もっと言えば、文部科学省がコントロールしなくとも、大学がうまく機能することが判明すれば、文部科学省は不必要なことが白日の下にさらされてしまうから、官僚は死にものぐるいになって、コントロールだけは手放したくないのだ。

しかし、構造改革とは、不必要な役所を減らし、それに呼応して税金のたれ流しもやめようというものだから、役所のコントロールを許している限りは、できるわけがないのである。大学が独立行政法人になれば、中期目標というのを設定しろという話になる。その時にあわせい、こうせいと文句をつけるに決まっている。大学を業績評価して補助金の額を決めようというわけだから、これでは構造改革になるわけがない。

本当は大学はすべて民営化して、いかなる大学にも補助金はビタ一文やらないかわりに、コントロールも一切しないのが一番の構造改革なのだ。かなりの大学は潰《つぶ》れるだろうが、それはそれで仕方がないのだ。ただ、失業者が一気に増えると、不況が更に深刻になって、多くの国民の生活が困ることになるから、景気を回復させる手だてを講じながらでないと荒療治はできないだろうが（不況をなくす奥の手は先に述べた）。

大学に税金を注ぎ込むにしても、もう少しまともな方法があると私は思う。税金を使う以上、アカウンタビリティー（税金どろぼうでないことを証明する責任）があることはもちろんだ。しかし、税金どろぼうに値するかどうかを決めるのは、大学評価・学位授与機構という名の役所や文部科学省ではなくて、国民なのである。紙上で審査していくらよい大学であるといっても、学生が定員割れを起こすような大学は、学生のニーズに合っているとは言い難い。逆に、文部科学省の評判はよろしくなくとも、受験生が押し寄せる大学は、学生のニーズに合ったよい大学なのである。

ならば、評価基準は単純である。学生数と受験倍率を基にして、自動的に補助金の額を決めればよいわけだ。ある大学はエリート大学をめざし、卒業生の質の高さを売り物にして学生を集めるだろうし、別の大学は学生サービスの良さを売りにして学生を集めるかもしれない。いずれにしても、大学当局や教師の目は、文部科学省ではなく、学生の方を向くことは確かである。人気のない大学は補助金の額が少なくなって潰れてしまわないとも限らない。

大学は学生のニーズに合わせて、様々な改革を自主的にやるだろう。コントロールする役所はないかわりに、責任は全部自分たちで負わなければならない。自己決定と自己責任である。それで大学はずいぶんまともになるのではないかと思う。大学のすべてをいきなり民営化するのは無理だとしても、まず、このあたりからはじめて、徐々に民営化したらよいと思う。もっとも、多くの人がそういう急激な改革に耐え得るかどうかは知らない。国家のパターナリズムにオンブしてやってきた人たちには、無理かもしれないね。

システムは巨大になればなるほど、これを潰して新しいシステムを作るのは難しくなる。多くの人は新しいシステムに即座に対応できるわけではないので、小さな政府、補助金の廃止、許認可権の撤廃といったことは、すべて原則的には正しくとも、一気にやると社会は混乱するだろう。しかし、多様な価値観と考え方をもつあらゆる人々にとって、国家を使い勝手のよい道具にするためには、最終的には、国民のために必要最小限のことだけをするできるだけ小さな政府、でき得る限りの民営化、補助金の全廃、役所の許認可権のでき得る限りの撤廃などをめざすべきだと思う。究極的には、どんな商売をするにも資格のいらない社会をめざすべきなのである。

どんな商売をするにも、特別の資格はいらないと聞けば、多くの人はびっくりするだろうが、国民が相応に賢ければ、何の問題も起きないと思う。私の考えでは、たとえば、医者になるのに医師免許は不要なのだ。そんなことを許せば、ヤブ医者にかかって殺されてしまうと心配する向きもあるかもしれないが、国家免許によって保護されてない、自由参入、自由競争の世界では、ヤブ医者は淘汰《とうた》されるから、今よりもはるかにマシになると思う。

医者になるのに資格がいらないとすれば、プロの（と思っている）医者は、学歴や治療業績を公表し、患者に自分の技術を知らせるだろう（詐称《さしょう》した者は、刑務所に放り込むべきだ）。有名な医者の下で修行をして、大学の医学部を卒業しなくとも、医者になる人も出てくるかもしれない。お客さんに沢山来てもらうためには、治療費をあらかじめ見積ったりする医者も現われるだろう。医者の良し悪《あ》しは、国家が認定するのではなく、患者が決めるのだということになれば、医者の多様性も保証され、今のように、受験勉強の秀才ばかりが医者になれるといったこともなくなると思う。

役所は基本的に国民はバカだと思っているので、ああせい、こうせいと、おせっかいを焼こうとするのであって、国民がそれ相応に賢ければ、自己決定、自己責任という話で、何の問題もないのである。医者にあてはまることは、実はすべての商売に適用できるはずだ。商売をするのに、何の資格もいらないというのは、究極の規制緩和であり、究極の構造改革である。

もちろん、民間の評価機関が、医者をはじめとする様々な商売の質について、ランク付けをするのは自由である。そういう機関がいくつもあれば、人々が選択をする時に便利である。但《ただ》し、そういった機関の評価を信じるかどうかは、あくまで個人の自由であって、これらの評価機関に公的な権力や許認可権を付与してはいけないのは言うまでもない。

もちろん、こういった制度がうまく機能するためには、人々が相当程度に賢いことが前提になる。自分で勉強したり、判断したり、考えたりすることを一切したくない人ばかりだと、どんな制度にしても、所詮《しょせん》世の中はよくならないのかもしれない。

文部科学省は必要ない

中世の頃、大人と認められる資格は、他人と最低限のコミュニケーションがとれることであったという。現代国家では、読み書きや計算ができなければ、社会生活ができない。だから、現代の大人の資格とは、読み・書き・そろばんの能力のことである。この能力がないと、法律を理解することも、職につくことも、商売をすることもできない。国家や社会は個人がよりよく生きるための道具だという話はすでにしたが、この能力がないと道具を使うことすらできない。

生まれた子供は、何も教わらなければ、読み・書き・そろばんはできるようにならない。親に育てられれば、親とコミュニケーションをする必要があるから、喋《しゃべ》れるようにはなるが、それ以上の能力は教育をしなければ身につけさせることはできない。少数の人たちだけが、知識と能力を握り、残りの国民は文盲でもよいのだという社会をめざさない限り、国民には等しく最小限の知的能力を身につけてもらう必要がある。そうでないと、人々の間の自由と平等と対称性が守れなくなってしまう。

だから、読み・書き・そろばんと法律の知識は、十四歳ぐらいになるまでに、無理矢理にでも教えなければ仕方がない。一度、身につけてしまえば、読み・書き・そろばんはボケるまで使える能力である。法律も簡単で安定していれば（コロコロ変わらなければ）、一度覚えれば一生忘れないだろう。皆が法律をきちんと理解していれば、人々の間の対称性はよりよく保たれる。その意味からでも、法律は最小限でしかも簡単である必要があるのだ。

さて、子供にまっとうな大人としての能力を身につけさせなければ社会は困るわけだから、そこでどうしても義務教育という話になる。義務教育の費用は、親が自分の子のために負担すると言わない限りは、社会が負うべきであろう。単純に言えば、高い月謝を払って私学に通わせるのは親の自由であるが、それ以外の子供は無償で教育を受けられるし、受けなければならない、ということだ。

学校を作ったり、先生を雇ったりするのに、文部科学省や教育委員会はやっぱり必要ではないか、と考える人もいるだろうが、そういう発想しかできないのは、国家のパターナリズムに頭の芯《しん》まで侵されている証拠である。次のように考えれば、義務教育を行うのに、国家があれこれおせっかいを焼く必要はないのだ。

まず、誰でも自由に義務教育学校を開設してよいことにする。これには何の資格もいかなる役所の認可もいらない。各々の学校は教育の内容や質を宣伝して生徒を集める。一定限度以上の生徒を集めることができれば、一人当たり年間いくらか（たとえば二十万円）の税金を国からもらえることにする。税金を交付するのに必要な生徒の限度は、余り大きくてはいけない。学校の多様性が減るからである。余り小さくてもいけない。自分の子供を自分で開いた学校に入学させて、教育もさせないで税金をかすめとる輩《やから》が現われるからである。三十〜五十人ぐらいが適当ではないかと思う。

どんな教育をするかは完全に学校の自由にさせる。どんな先生を雇うかも学校の裁量であり、給料をどれだけ払うかも学校の自由である。先生になるにはどんな資格もいらない。どの学校に行かせるかは完全に親の自由である。国はただ、一定限度以上の生徒を集めた学校に、自動的に税金を払えばよいのだから、教育委員会も文部科学省も不必要なのである。

そんなんじゃどんな教育をされるかわからない、と心配する向きもおありだろうが、学校間の競争は激しくなるだろうから、心配するには及ばないと私は思う。今通っている学校が気に入らなければ、親はすぐに学校を換えることができる。生徒が一人減ればその分減収になるから、学校は親に気に入ってもらえるような教育をしようと必死になる。一定限度以下に生徒が減れば、交付金は打ち切りだから、人気がなければ学校は潰《つぶ》れてしまう。

親のニーズに合わせようと学校は多様化して、親は自分の子供に一番相応《ふさわ》しいと思う学校に通わせることができるようになるだろう。様々な価値観や様々な生き方に呼応して、様々な義務教育学校が出現するのは、とても好ましい。日の丸や君が代が好きな親は、毎日、日の丸仰いで君が代歌わせる学校に子供を通わせればよいし、体育の授業なんて不必要と思っている親は、体育のない学校に子供を通わせればよい。国家が教育内容を統制するのはそもそも罪悪なのである。国家は国民の道具なのだから、国民に対してああせい、こうせいと指示するのは、よけいなお世話である。よけいなお世話のために、文部科学省や教育委員会を税金で運営しようというのはムダの極みであろう。

もしかしたら、読み・書き・そろばんを教えない学校も出現するかもしれない。しかし、自分の子供を文盲にしたいという親でない限り、そういう学校に子供を通わせる親はいないだろうから、学校はすぐに潰れて、大きな混乱は起きないだろう。これとは反対に、英才教育を行う学校も出現するに違いない。あるいは学校に行きたくない子供のためには通信教育専門の学校ができるかもしれない。他人と余りつき合いたくない人には便利だと思う。子供の能力と興味と個性に合った教育が可能になるに違いない。現行の画一化した教育よりもはるかにステキではないか。

先生に資格がいらない、という点を心配する人もいるかもしれない。しかし、親が自由に学校を選べる制度の下では、無能な先生を雇っている学校は潰れてしまうだろうから、無能な教師はどんどん減俸になり、ついにはクビになってしまうに違いない。反対に有能な先生は、高給で遇されるはずだ。教師の質を保証するのは、国家の与える資格ではなく、自由競争なのだ。高給を取りたいと思ったら、日々の研鑽《けんさん》が必要となる。一枚の教員免許状より、こちらの方がはるかに信用がおける。単純に言えば、教育も市場にまかせれば、教育委員会も文部科学省も不要なのである。

十三歳か十四歳まで義務教育を行って、読み・書き・そろばんの能力を身につけてもらえば、それ以上の高等教育には国は口も金も出す必要はない。高等教育の推進とか科学技術の振興とか称して、税金を特定の事業に注ぎ込むのはよくないことなのだ。国民の中には科学技術など進歩しなくともよいと思っている人もいるのだから、特定の価値観に基づいて税金を勝手に使ってはいけないのだ。

義務教育学校と同様に高等教育学校を設立するのには、どんな条件もいらない。高等教育に税金を注ぎ込むことは悪いことだから、公立（国立も含めて）の高校や大学は、本来はない方がよいのである。それは前項で述べた通りである。補助金を分配したり、許認可を仕事にしている文部科学省は全く不必要ということになる。義務教育を修了した人ならば、どんな高等教育機関に行くかは、完全に自由である。実力があれば十五歳で大学生になることもできる。補助金がないので、高校や大学の学費はかなり高くなる。もし、私が主張するように、公的な資格を一切なくしてしまえば（いかなる職業につくにも資格をいらなくしてしまえば）、勉強もしたくないのに大学へ行って資格だけ取ろうとするのは意味がなくなるので、高い学費を払って大学に遊びにくる〝ものずき〟な人は減るだろう。そのかわり申請すればだれでも奨学金を借りられるようにする。但《ただ》し、どんな職についても奨学金は返さなければならない。

大学生の数や大学の数は五分の一ぐらいに減ってしまうかもしれないが、自由競争の結果そうなるのであれば、もともとその程度が適正規模なのである。そもそも分数のできない大学生や、論文もろくに読まない大学院生は、社会的には不必要ではないか。高校程度の教育内容をほぼ理解できれば、今の日本では、上から二割以内の知識人になることは間違いない。ほとんどの職業は高卒程度の知識があれば勤まるだろう。

医者とか研究者とかの高度な技術や知識が必要な職業に就く場合は、大学程度の専門知識を身につける必要があるが、資格社会でなくなれば、前項で述べたように医者の見習いをしながら技術を身につけて、医者になることもできるわけだから、自由度は現在よりもはるかに増えることになろう。そうなれば、高等教育機関は学費に見合った質の高い教育をしなければ、学生が集まらずに潰れてしまうに違いないから、自然と教育の内容は勝《すぐ》れたものになるはずだ。

現行の制度では、中学しか卒業していなければ、実力の有無にかかわらず、高給がもらえる職業につくことは難しい。皆が高校に行けば、嫌でも高校に行く他はないし、皆が大学に行けば、嫌でも大学に行かないと生きづらい世の中である。教育に国家が介入しなくなり、学歴が公的な資格にならなくなれば、他人と同じことをしたくない人や、他人と深く関わらずに生きたい人にとっては、今の世の中よりも、はるかに生き易《やす》くなるに違いない。

国家が教育や科学やその他の学問に補助金を出さなくなると、科学や学問が衰退してしまうのではないか、と心配する人がいるかもしれない。しかし、よく考えてみれば、科学や学問が進歩しなければならない絶対的な根拠はどこにもない。科学者や研究者や学者は、金が必要ならば、私企業（私の主張通りになれば、大学もすべて私企業だ）からもらうか、自分の研究の重要性をアピールして世間から寄附を集めるか、身銭を切る他はない。

そうなると、金になる研究ばかりが進み、基礎的な研究は見捨てられてしまうかもしれないが、そうなっても国家は基礎的な研究に税金を注ぎ込んではいけないのである。何が重要かは国民のニーズが決定することであって、国家が余計なおせっかいをしてはいけないのだ。そもそも学問は本来好きでやるのが当たり前なのだ。何千万円もの税金を使ってやろうとするのはずうずうしいのである。

市場価値を持たない（すなわち企業も民間人もだれもお金を出さない）学問は、趣味なのだから、好きな人が身銭を切ってやれば、それでよいのである。それでも好きな人は学問をせずにはいられないのだ（そういう人は何と上品なのだろう）。それで不都合なことは何もない。

働きたい人には職を

社会を構成する大部分の人々が相当程度に賢く、自己決定・自己責任の原則を理解し、かつ、互いの自由をできるだけ尊重しようとするならば、先に述べたように、できるだけ小さな政府、自由に商売することを妨げる規制の撤廃、補助金の廃止、等々の個人主義を徹底する制度にするのが一番よい。しかし、そのために大事な条件がある。スタート時点での完全平等である。

この条件が満たされないで、規制撤廃、完全自由化、市場至上主義を貫徹すれば、競争は最初から不平等競争だから、富める者と貧しい者の差は、拡《ひろ》がることはあっても縮まることはないだろう。だから、様々な考えの人が互いの自由を尊重しながら、安定的な社会を作るためには、スタート時の平等と、市場至上主義はセットになって実現されなければ仕方がない。

そうは言っても、急激な改革をするのはなかなか大変だ。人々の意識は現在のシステムに馴致《じゅんち》されているため、急激な改革をいきなり行うと混乱が起きるに違いない。改革の順番ややり方はとても大事だ。自分の医療費は自分で出せ、自分の老後はなるべく自分でめんどうを見ろ。そういう方針に少しシフトしただけで(具体的には、医療費の自己負担率を少し上げて、年金を少し減らしただけで)、人々は将来への不安から、お金を使わなくなり、不況は進むのだから。

医療費は全部自分で負担するのは当たり前だし、若い人から集めた金を老人に注ぎ込んでいる国民皆年金制度などはやめるべきだ。私が構想する完全個人主義の社会では、それが当然なのだ。しかし、医者の既得権益を保護したままで、医療費だけを自己負担させようとすれば、おかしくなるのは決まっている。まず医者の世界を自由化する。現行では初診料も薬の値段も、すべて厚生労働省によって決定されている。本当は医者になるのに資格はいらないというのがスジなのだが、いきなりそこまでやるのは大変だとしても、少くとも、診療費も薬代も入院費も自由競争にすれば(ラーメンがどこのラーメン屋でも、同じ値段などというバカなことはない)、医療費もかなり安くなるはずだ。まずはこちらを先にやってから、医療費の自己負担率を上げるという話にしなければ、世の中具合が悪くなるばかりだ。

年金も本当は国が口を出すのはよけいなお世話なのだ。自分で必要があると思えば、自分で計画して自分で老後のためのお金を作るのがスジなのだ。しかし、すでに国民皆年金のシステムが長い間機能しているわけだから、いきなりこのシステムをやめるわけにはいかない。年金だけに頼って生活しているお年寄りは、明日からどうして生きたらよいか困るだろう。すでに年金保険料を沢山払い込んでいる人も、いきなり年金はチャラと言われたら怒るだろう。だから、ひとたびヘンなシステムができあがると廃絶するのは難しいのだ。このままでは国民皆年金制度が破綻《はたん》するのははっきりしているので、破綻する前に上手にやめる方途を講ずるべきだ。

たとえば、四十歳前の人には、今まで払った年金保険料を返してしまう。四十歳以上の現在年金保険料を払っている人は、将来年金をもらうか、積み立てた年金保険料を払い戻してもらうか選択制にする。当然、年金の財源はほとんどなくなるから、今、支払っている年金は税金から補塡《ほてん》せざるを得ない。しかし、三十年もたてば、年金生活者はあらかた死ぬから、それが一番合理的だと思う。

そもそも、国民皆年金制度というのは、労働人口がどんどん増えていくことを前提にして作られているので、若年労働者が減少すれば破綻するに決まっている。だから、国は少子化は困るといって子供の数を増やそうとしているわけである。しかし、ちょっと待ってくれと私は思う。不況はどんどん深刻になり、リストラという名の首切りが進行している。失業率は、働きたいけど職を探すのをあきらめた人を含めれば、現在実質的には十五パーセントぐらいではないかと思う。大学を卒業しても、実質的には三割ぐらいは、まともな職に就けないのではないだろうか。そんな状態で若者の人口が二倍に増えたらどうなるか。職にあぶれた若者が巷《ちまた》にあふれることになる。

構造改革は基本的にはいいことだ。でも医療改革に見られるように、既得権益を温存したままの改革（と称するもの）はペテンである。やらない方がましだ。そして、構造改革の前提として何よりも重要なのは不況対策と雇用の確保である。この二つを先行させながら、先に述べた究極の構造改革を実現させていくのが理想的だ。

不況対策についてはすでに述べた。それでやっと本題の雇用対策の話である。働きたくない人は無理に働く必要はない。しかし、貯《たくわ》えがなければ、食うためには自給自足の生活をするか、狩猟採集民をやる他はない。働くのはイヤだけれども、そんな生活より働く方がまだましという人も、働くより道はない。働きたいのに職がない、という人をそのままにしておくのはとてもよくない。

消費不況が解消されれば、当然、求人数も増えてくると思われるが、雇用不安が消えなければ、消費不況も簡単には解消されないから、この二つは、卵が先かニワトリが先かという話に似ている。消費不況が解消するためには、雇用の確保が必要で、雇用の確保のためには、消費不況の解消が必要だ、といっているだけでは、要するにどちらも好転しないだろう。そこで、国が積極的に人を雇えばよい、という逆転の発想をしようというわけである。

小さな政府、役人の数はなるべく少く、という話と矛盾しているじゃないか、とお思いの人もいるだろう。しかし、過渡期だからこれは仕方がない。とりあえず、高校や大学を卒業しても就職口がない若者たちを、臨時公務員といったかたちで、二年ぐらいの期限つきで雇えばよい。一人年間二百万円ぐらいの給与を払うと、一万人雇って二百億円、十万人雇っても二千億円、五十万人雇っても一兆円である。首都機能移転費用の十二兆円余りに比べればたかが知れている。

給与が少し安いぶん、週休三日ぐらいにして、休みの日には自分の好きなことができるようにすればよい。こういう形式で公務員を雇う目的は、雇用不安をなくし、消費意欲を向上させることにある。人々がお金を少々使っても、将来に不安は余りないという気分になれば、自《おの》ずと不況は解消するのではないかと私は思う。二百万円の給与から百万円ぐらい消費財を買ってくれるようになれば、経済効果は大きいだろう。

臨時公務員の実際の職種は、本人の適性と希望により、本職の公務員に準ずればよい。臨時公務員は一面では、職業訓練を金をもらいながらするわけだから、二年も経《た》てば、実践的な能力がかなりつくだろう。昔の大企業は若い人を雇って、お金を与えながら技術訓練や体験学習をさせて、一人前の職人や専門家に育てる余裕があった。不況下の企業は、なかなかそんな余裕はなく、できることなら、いきなり現場で使える人がほしい。

バブル以前は、就職は売り手市場であったから、企業もエラそうなことを言っている場合ではなく、誰でもいいから働き手を確保しなくては、業績拡大競争に乗り遅れると思っていたのであろう。バブルの絶頂期には全く知らない会社の人事担当の人から、誰でもいいから学生を紹介してくれないか、とよく電話がかかってきた。

今の学生にその頃の話をすると、夢のようですね、と言われる。

二年間の臨時公務員を終了した人は企業にとって即戦力になるから、民間企業に就職する機会が増えるだろう。また、週休三日で年俸二百万円というのは自由時間が欲しい人にとっては、かなり魅力的だから、民間企業も休みを増やさないと、よい人材を確保できない方向に向かうかもしれない。一人当たりの労働時間を減らせば、全体の総労働時間が減少しない限り、人を沢山雇わなければならないから、雇用対策になる。

ＩＴ化が進み、今まで人間がしていた仕事を機械がするようになると、少しの人数で沢山の仕事ができるようになる。一企業にとってみれば、人件費がそれだけ浮くわけだから、合理化が進み、もうけが増えることに、計算上はなる。しかし、それをするのは一企業だけではない。すべての企業でやれば、解雇される人が増えるわけだから、消費不況が進み、物は売れなくなる。合理化が進んだ所で、商品が売れなければ、結局はもうけにはつながらない。

本来、合理化と省力化が進めば、個々の労働者の労働時間を減らすべきなのである。それなのに、労働時間を減らさないで労働者の数そのものを減らしたわけだから、一企業にとっては合理的な行動でも、マクロに見れば失業者が増えるのは当然だ。ミクロ合理性の追求は時にマクロ不合理性を導くのである。そうはいっても、一企業だけ、労働者の数を減らさずに、労働時間だけ短縮したら、その企業は潰《つぶ》れてしまう。

そこで、労働基準法を改正して、労働時間を大幅に短縮すれば、雇用確保の上でプラスになるだろう。役所の許認可権は不必要だが、こういう法律は必要だ。但《ただ》し、人件費が増えると、企業の国際競争力は落ちるから、平均給与は下がるかもしれない。国民の半分は高給取りで、残りの半分は失業者という世界よりも、等しくほどほどの給料をもらっている社会の方が健全だ。今、はやりのワークシェアリングとは、結局こういうことを言うのであろう。

次に、今の日本で問題なのは、正規の職員と臨時の職員の待遇が余りにも違うことだ。これは労働者の心理上、大きな不安要因である。正規職員をクビになっても比較的簡単に別の会社の正規職員になれるのであれば、雇用不安はそれほど起きない。日本の企業は長らく終身雇用制度を守っていたが、それは右肩上がりの経済成長が続き、基本的に企業は倒産しないという条件があったからだ。しかし、産業構造がどんどん変化してくると、不況業種から好況業種へ、労働人口を転移させなければならない。職が変わる度に、給料が下がったり、正規職員から臨時職員になったりすると、労働者の将来に対する不安はなくならず、とりあえず今、高給をもらっている人でも、お金を使わないで、お金のまま持っていようとするだろう。結局、消費不況は解消しない。

大部分の労働者の雇用形態を、終身雇用と臨時雇用の中間ぐらいの所にもっていくような政策と同時に、恣《し》意的な首切りや、性や年齢による選択的な首切りをさせないような法整備をすべきであろう。職を次々に変わっても、余り給料に差がでないようであれば、人生の途中からでも、自分にあった職を求めて転職することも容易になる。これは雇用の流動化と同時に、労働者の働く意欲をサポートするだろう。人づき合いが好きな人も、他人と深く関わるのがイヤな人もそれなりの職につけば、働くのがイヤでイヤで仕方がない人は少しは減少するかもしれない。

もちろん、あれやこれやの理想を語るのは（重要ではあるが）、簡単だ。難しいのは、途中で破局が起きないように、綱渡りしながら、理想状態に近づける方途を考えることだ。すでに述べた、消費財を買った費用を例外なく必要経費として所得控除の対象にする方法と、臨時公務員を五十万人ぐらい雇う政策は、やってみる価値はあると思うよ。少くとも巷で時々言われている、現金保有税とかマイナス金利(消費が余りふるわないので、現金は持っているだけで減るようにする)よりはましだと思う。実質金利をゼロにしたって消費不況は解消しなかったのだから、マイナス金利にしたら、たんす貯金をするか外貨を買う人が増えるだけだと思う。

いずれにしても、個人の欲望の追求や、企業努力が、不況の促進ではなく、不況の克服に向かうような制度を構築することが大事なのである。口で言うのは簡単だけどね。

原則平等と結果平等

すべての人は自由で平等で互いに対称でなければならない、というのは民主主義を支える原則である。どんな所に住むのも、どんな職業に就くのも自由である。すべての人は法の前に平等である。しかし、実際には個人の能力には差があり、貧乏な家に生まれた子と金持ちの家に生まれた子は、もともと平等ではない。

個性の差や能力の差はどうしようもないことであって、これらを平等にすることはできない。みんな同じ能力でみんな同じ性格で、みんな同じ顔、というのは、すべての人をクローン人間にでもしなければ無理であろう。多種多様な能力や個性をもつ人がいるから、世の中は面白い。これらの人々が原則平等な世界で自由に生きた結果、富や名声に大いなる違いが生じたり、長生きしたり、早死にしたりして結果に違いが生じるのはやむを得ない。

将来、受精卵や胚《はい》の時に遺伝子を操作することができるようになると、多くの人は優秀な子供を作ろうとして、結果的に、子供はみんな同じような遺伝子組成になるかもしれない。個体間の能力差は縮まって、ある意味では人々は平等になるわけだが、人間の多様性は少なくなることが予想される。それがよいことかどうか、あるいは、その結果、社会構造がどのように変化するのかは私にはわからない。しかし、現在の所は、人々の間に能力差や個性の違いがあるのは事実なので、それを前提に話を進めなければ仕方がない。

徹底的な構造改革をして、自由競争、自助努力、自己責任の原則を貫徹すれば、運がよかったり、才能があったり、努力をしたりした人は成功するだろうし、そうでない人は失敗するだろう。成功するのも失敗するのも、その限りでは自己責任であるから、それはやむを得ない。但《ただ》しそれには条件がある。前項で述べたように、スタート時点での平等である。

資産が二十億円もあるような大金持ちの家に生まれた子と、破産した家に生まれた子ではスタート時点で雲泥《うんでい》の差がある。自由に競争してよいと言われても、最初から大金を持ってる奴《やつ》と無一文の奴ではさすがに勝負にならない。自分でかせいだ金であれば、どんなに大金を持っていても別に問題はないのだ。問題は親から子へ、金がいわば世襲されることだ。これを放置しておく限り、スタート時点での平等は保たれない。

それをなくすには、大金持ちに生前に自発的にお金を使ってもらうか、さもなくば親から子への資産の贈与税と相続税を極大にしなければ仕方がない。日本では、相続税を安くしようとか、生前贈与の際の税金を引き下げようとか言われているが、それはとんでもないことである。累進《るいしん》課税で所得税を取るよりも、相続税を極大にする方が合理的だと私は思う。そうはいっても、親の遺産をもらうのは当然だ、という考えが支配的な気分の所では、相続税と贈与税を極大にするのは難しいかもしれないね。

しかし、たとえば江戸時代の日本では、身分の世襲は当然のことであったのだ。それが当然でなくなったのは、公的な身分は世襲してはいけないという気分が常識になったからである。首相やその他の官職が世襲となったら、民主主義は根底から破綻《はたん》してしまう。もちろん、親の七光りはそう簡単には消えないから、代議士の身分は事実上、世襲されることが多いし、企業の社長も世襲されることが多いだろう。

代議士の子供が代議士になってはいけないこともないし、社長の子供が社長になっていけない理由もない。

能力は遺伝することがあるから、プロの野球選手の子が同じようにプロの野球選手になったり、科学者の子が科学者になったりすることはよくあることだ。だから代議士の子が代議士になっても、社長の子が社長になっても、自由競争の結果であれば、別に問題はない。有名人の子というのは、それだけで有利なアイテムになることが多いが、それを判断するのは本人ではなく、不特定多数の人々だから、それは世襲ではない。代議士は選挙で決まるし、株式会社の社長は取締役会で決まるのだから。しかるに、親の遺産を相続するのはどう考えても世襲であろう。官職の世襲と同じようによくないことだと私は思う。常識は時代によって変わるのだから、未来の人々が遺産の世襲は罪悪だと考えるようになっても不思議はない（そう信じたい）。

相続税を極大化する理由はもうひとつあって、どうせ税金で取られるなら、生きているうちに使ってしまおうと考える人が増えればいいな、ということである。そこで、いきなり相続税を極大にするのは無理だとしたら、私ならば、たとえば次のようなことを考える。死ぬ前の十年間に消費財を買うのに使ったお金の半額を、相続財産から控除するのである。それと並行して、相続税率を引き上げれば、世代を継続して富がかたよることを徐々に緩和すると共に、消費不況の解消にも役立つであろう。

たとえば、親の遺産が十億円あったとしよう。子がひとりで相続すると、現行の税制では、基礎控除の額が六千万円で、残りの九億四千万円に六割（控除額は七千五百二十万円）の税がかかる。ざっと計算すると、払う税額は四億八千八百八十万円、子の遺産の手取りは五億一千百二十万円となる。これを多いと思うか少いと思うかは人によりけりであろうが、私は多いと思う。大金持ちの親をもつ子は、親が死ぬまでに充分優遇されているのだから、遺産の手取りはもっと少くともよいのだ。但し、配偶者はその限りではない。配偶者は金をかせぐのに相応の貢献をしたと考えるのが普通だろうし、配偶者への相続は、世代間の相続ではないので、余り問題はないのだ。

そこで、私が先に提案した、死ぬ前十年間に消費したお金の半額を相続財産から控除したらどうなるかを考えよう。たとえば、仮に親が十年間に一億円消費したとしよう（金持ちは〝ノブレス・オブリージュ＝高貴な人の義務〟として二千万円の高級車とか一千万円の指輪とかを買うべきだ。その話はすでにした）。遺産は九億円に減っているが、五千万円は控除されるから、税金の対象になる遺産は八億五千万円。前と同じように計算すると、税額は三億九千八百八十万円。遺産の手取りは五億百二十万円。親が一億円消費しなかった時の手取りが五億一千百二十万円だから一千万円ほど減るだけだ。ちなみに親が二億円消費したら、遺産の手取りは四億九千百二十万円、三億円消費したら、四億八千百二十万円と、親の消費額が一億円増えるごとに、子供がもらう遺産の手取りは一千万円ずつ減ることになる。

遺産の手取りがほとんど変わりないとすれば、金持ちは老人になったらお金をどんどん使うと思う。それは消費不況を克服するためにはとてもよいことだ。ところで、そこまで優遇してお金を使って頂いても、十億円の親の資産のうち五億円ほどが実質的に相続されるならば、富の偏在は余り解消されないではないか、という人もいるだろう。私もそう思う。そこで、もっと過激なことを考える。相続税率をもっと上げるのである。

たとえば他のことは無視して、単純に相続税率を九割とする。十億円の財産を相続すれば一億円しか手元に残らない。スタート時点での平等にこだわると、相続税率は十割がスジなのだが、余り急にそういうことをやると、金持ちが国外に逃げてしまうかもしれない。大金持ちがみんな日本を見捨てたら、とりあえず何をしても日本は沈没するだろうから、金持ちを余りいじめてはいけない。そこで、税率九割と並行して私の先の提案（親の生前十年間の消費額の半分を遺産から控除できる）を実行するのだ。私の提案は、税率が充分大きいと、親の消費額が増えれば、遺産相続の額も増えるという不思議なものだ。たとえば、親が生前の十年間で、六億六千六百六十七万円使ったとする。残った財産は三億三千三百三十三万円である。しかし、消費額の半分は控除されるから、ちょうど三億三千三百三十三万五千円控除されて、税金はビタ一文払わずに、手元には全財産が残る。

金持ちはある年齢以上になったら必死になってお金を使うだろう。お金を使えば使うほど遺産が増えるのである。実質的には相続税はほとんど取れないが、そのぶん物は売れるだろう。税金は消費税率を二十〜三十パーセントぐらいにして、そこから取ればよい。誰も死ぬ時期を知っているわけではないから、死ぬ十年前から計画的に金を使うわけにはいかない。結果的に死の二十年も三十年も前から、沢山お金を使うようになるだろう。世代を継続して富が偏在することを防止できる点でも、これは良いアイデアだと思う。十億円のお金持ちにしたって六億六千万円余りを好き勝手に使って、三億三千万円余りを子供に残せたら文句は言わないだろう。節約に節約を重ねて十億円の財産を守り通して、あげくの果ては五億円近くの税金を取られる現在の制度よりも気持ちよいだろう。もちろん、これは過渡期の話だ。過渡期には逆転の発想も必要だ。

次は結果平等の話である。人生のスタート時点での平等を保証できれば、後は運と努力と能力の問題だから、ある程度の結果不平等は仕方がない。企業を起こして大もうけする人がいても、自給自足の生活をする人がいても、出世しなくても金がもうからなくても好きなことができればよい、という人がいても別に何の問題もない。問題は自助努力もせずに、どこからお金をもらって生きていこうとする人である。

原則平等でしかも大体において結果平等で、さらにすべての人が衣食住足りている世の中は、理想の世界だろうが、なかなかそううまくはいかない。原則平等を守った帰結として、自《おの》ずから結果平等になるのであれば問題はないが、人為的に結果平等にしようとすると、世の中はおかしなことになるだろう。極端な話、すべての人の収入を同じにしようとすると、沢山お金をかせいだ人から、ある限度以上のお金を強制的に取り上げて、少ししかお金をかせげなかった人にその限度まで補塡《ほてん》してやらなければならない。そんなバカなことをしたら、よほどの聖人君子か極めて特異な考えの人以外は、真面目《まじめ》に努力する人はいなくなってしまうだろう。

原則平等というのは、市場で競争するための条件が同じということであって、努力をしたものは報われるのは当然なのだ。規制緩和とは、市場で競争する条件に差をつける制度をなるべく撤廃しろということに他ならない。たとえば、公共事業に入札するために、会社の規模や資格にあれやこれやの条件をつけて、特定の会社以外を締め出そうというのは、明らかに原則平等に反するし、商売をするのにいちいち許可や認可を受けなければならないという制度も原則平等に反する。

くだらない規制が全部撤廃されて、スタート時点の平等も含め、原則平等が保証されていれば、結果平等について考慮する必要は基本的にはない。何としても働きたくない人は自給自足か狩猟採集民の生活をする他はなく（もしかしたら、都会でゴミをあさるのも一種の狩猟採集民と言えなくもないかもしれないが）、働きたくないから生活費を補助してくれと言う権利はない。自分で自分の食糧を手に入れようと努力しない人は野垂れ死ぬより他に方法はない。

人はだれでも市場の自由競争から離脱する権利はある。しかし、その責任は自分で取らなければならないのであって、それで食えないからといって、誰かに助けを求めるのは筋違いであろう。しかし、働きたいのに職も賃仕事も与えられないとしたら、それは間違っている。働く意欲のある人に、職を世話するのは、社会の義務であると私は思う。働きたいのに働く場所を与えられないのは、競争に参加させてもらえない、ということだから、そもそも原則平等に反している。

先に述べた臨時公務員といった制度をそういう人のために活用すべきであろう。人心の安定と景気の回復のためには、ムダな公共事業よりよほど役に立つと思う。臨時公務員に雇っても働かせる場所がないって？　そんなことはない。たとえば、日本国中の杉の木を切って、広葉樹を植えてもらえばよい。杉花粉症はなくなるし、生物多様性の保全にもとても役に立つ。これぞ真の公共事業である。花粉症でもうけている耳鼻咽喉《いんこう》科の医者と製薬会社は困るかもしれないけどね。

原則平等が保たれている限り、結果平等を一世代に限り、是正する必要がないという観点からは、所得税（とくに所得に対する累進課税）は間違っていると思う。大金持ちに対する税を極大にしなければならないのは、世代を継続する相続税と贈与税であって、所得税ではない。公正な競争で得た所得に対して税をかけるのは基本的に間違っている。金をいくらかせいでも使わなければ、本人は何も物質的には楽しいことはないわけだから、その意味からも所得に税をかけるのは間違っている。五億円かせいでも、貯金残高が増えるだけで、金持ちになったなあという精神的な満足感はあっても、物質的には使わなければ楽しいことはない。だから税は消費に対してこそかけるべきなのである。税金は、相続税と贈与税と消費税のみというのが一番合理的なのである。

少子化が進んで、しかも雇用状況が好転すれば、働き手の数が不足してくる（逆に、少子化が解消されて、雇用状況も好転しなければ、失業者があふれてくる）。労働者一人当たりの労働時間を減らすことも大事だし、同時に働く意欲と能力のある老人を雇用することも大事であろう。働ける老人には働いてもらえば、年金を払う必要もない。まだ充分に働ける人を定年退職させて、年金生活者にするのは社会的にも賢いやり方とはいえない。七十歳を過ぎてもバリバリの現役で働ける人もいるのだから、個人の違いを無視しての一律の定年制度は悪《あ》しき結果平等主義であろう。

そうはいっても生まれつき障害をもっていたり、人生途中の不幸な事故や病気により、働きたくても働けない状態になったりする人もあろう。自助努力、自己責任、市場至上主義、補助金は一切なし、という社会では、誰かにめんどうを見てもらえないとすると、そういう事態を想定して、あらかじめ保険をかけたりしていない限り、こういった人たちは野垂れ死ぬよりない。人間以外のすべての動物は、自力で生きられなくなったら野垂れ死ぬのは当たり前だから、野垂れ死んでもよいのだ、という考えもあるかもしれないが、人間は皆平等であるとのフィクションを守るためには、見殺しにするわけにもいかないだろう。

人生の途中で怪我《けが》や病気により働けなくなる可能性はだれにでもある。家族がいれば、めんどうを見てもらえるかもしれないし、自分に貯《たくわ》えがあれば、それが尽きるまでは食べられるかもしれない。しかし、一人で生きている人は、それ以後はどうしようもない。他人と深く関わらずに生きたい人は、孤独で生きる可能性が高いだろうから、どうしようもなくなった時の保証がないと不安であろう。

人生における人々の様々な選択肢を認め、多様性を保持するためには、やむを得ず落伍《らくご》した時の保証は是非必要だ。消費を促進するためにも、将来の不安はできるだけ少い方がよい。そこで、福祉という話になる。それにかかる費用は税金を注ぎ込む他はない。これは落伍して助けを求めている人を救おうという話だから、パターナリズムとは少し違う。但《ただ》し、単なるなまけものが税金をかすめ取らないようにしなければならない。もちろん、福祉を受けるのを潔《いさぎよ》しとしない人は、野垂れ死ぬ権利がある。

自己決定と情報公開

市場で公正な競争が行われるためには、商品やその他の取り引きされるものやことについて、正しい情報が市場関係者（市場が公開されている場合には、要するに知りたいと思うすべての人）に公開される必要がある。消費者が何を買うかは消費者の自己決定にまかされるべきだから、他人から見てバカバカしいようなものを買っても、それ自体は別に何の問題もない。問題は偽りの情報を故意に流して、市場価格を操作しようとの行為である。

しかし、人間のいる所、うわさは絶えないだろうから、様々な商品について根も葉もないようなうわさが流れるのを阻止することは難しいし、人はデタラメを言う自由を有しているから、うわさを禁止することはできない。素人《しろうと》から見ると、株券の値段などはほとんどうわさによって上下しているようにしか思われないが、公表されている以上の情報を知らない人がどんなうわさを流しても、所詮《しょせん》は思惑以上のものではないから、別に問題はないのだ。信じるのも信じないのも勝手ということになる。

しかし、商品に深く関わっている人が、偽りの情報を流したり、自分だけが情報を独占していることを利用して、自分に有利な取引きをすることは許されない。こういった行為は法律により厳しく処罰しなければならない。さもないと、公正な取引きが阻害されてしまい、自由競争が成立しなくなる。

たとえば、自分が関わっている会社が倒産するという情報をいち早く知った人が、その情報が公表される前に、株券を売ったとすれば、それは明らかに犯罪であろう。あるいは、外国産の牛肉を国内産と偽って売ったり、国内産の牛肉を外国産と偽って税金をだましとったりするのも、重大な犯罪であろう。日本のかなり多くの業界は、談合をしたり、補助金をもらったりするのを当然と思っているので、自分が責任あることについて、正しい情報を流さなかったり、偽りの情報を流したりすることを心底悪いと思っている人は余り多くないみたいだ。これは大変問題である。狂牛病騒ぎに乗じて、補助金をだまし取った会社が、雪印食品、日本食品、日本ハムと跡を絶たないのも、偽装工作を悪いと思っていない証拠であろう。

しかし、この問題は元来、狂牛病騒ぎで国産牛肉が売れなくなったからといって、補助金（税金）を出してそれを買い上げるという制度が間違っているのである。何度も言うが、税金を補助金として使ってはいけないのだ。更に遡《さかのぼ》れば、一九九六年に、イギリス政府が狂牛病が人に感染することを認めた時点で、肉骨粉の牛への使用を農水省が禁止しておけば、狂牛病が日本で発生することはあり得なかったわけだから、農水省の完全な失政であろう。

日本での狂牛病発生のリスクをEUから指摘され、日本で狂牛病が発生することはあり得ないと、時の熊沢英昭事務次官が大見得《おおみえ》を切ったのが二〇〇一年の六月十八日。そのわずか二ヶ月後に、狂牛病が発生したわけだから、農水省のいい加減さは超一級である。農水省は、国民の口に入る食物の安全性についてチェックして、情報を広く公開するのが役目のひとつだろう。情報を隠蔽《いんぺい》したり、情報分析能力が皆無だったりすれば、何のための役所かわからない。あげくは、自らの失敗の尻《しり》ぬぐいのために、高い金をかけて狂牛病の検査をしたり、国産牛肉を買い上げるために補助金を出したりして、税金をムダに使っている。文部科学省といっしょに農水省も解散してしまった方がよさそうだね。

日本では、国民の健康と安全に関する情報を広く公開するのが、国や企業の責務だという感覚がまるでないようだ(日本だけではなく、どこの国の政府や企業でも、自分に不利な情報はなるべく流したくないのが本音だろうけどね。まあ、北朝鮮よりはましか)。民主主義とは国民をだまして、国民の自己決定の名の下に、自分たちに有利な決定をさせるための装置だと思っているのかもしれない。さらには、うまくいかない時は札ビラで頰を引っぱたけば、なんとかなると思っているのだろう。二〇〇二年の晩夏から初秋にかけて、東京電力、東北電力、中部電力などの電力各社が、原発のトラブルを隠蔽したのも、不利な情報は公開したくないという姿勢の現われに違いない。国家や大企業による情報の隠蔽は、恐らくパターナリズムと表裏をなしているのではないかと思う。国民におせっかいを焼いて、権力になるべく都合がよい行動を取らせようとする一方で、国民に知らせたくないことはなるべく隠蔽しようというわけだ。

しかし、すでに述べたように国家は国民の道具なのだから、すべての国民に健康や安全についての正確で詳細な情報を広く公開する義務があるのだ。それをどう判断するかは、国ではなくて国民なのだ。自己決定は、正確で詳細な情報を知ってはじめて可能になるのだから。偽りの情報を発信したり、重大な情報を隠蔽したりすることは犯罪行為なのだ。

商品を売る人も、偽りの表示をすることは許されない。食品に発がん物質やその他の毒物を添加することはもちろん許されることではないが、消費者に選択権がある民間の業者に対して、表示義務をどこまで負わせるかは、微妙な問題であろう（先に問題にした電力各社は消費者に選択権がない独占企業だから話は別だ）。偽りの表示をした人を処罰するのは国の責任であり、添加してはいけないと法律で決まっている物質を混入した人を処罰するのも国の責任である。しかし、表示をしない人を処罰できるかどうかというと、これは微妙であろう。

私見を言えば、国はそこまで口を出す必要はないと思う。表示のやり方まで統一して、ああでもない、こうでもないと口を出せば、またぞろ悪《あ》しきパターナリズムへ逆戻りだ。自己決定、自己責任が機能するためには、国民は相応に賢くなければならない。国が手取り足取りする必要はない。表示がほとんどなされていないような商品は、なるべく買わないようにすればよいのだ。人々のこのような態度が徹底すれば、正確で詳細な表示をしていない商品は売れなくなるだろう。特に食品の安全性は、これから大きな問題になるであろうから、添加物、原材料の産地、遺伝子組み換えかどうか、等々の情報は、食品を選ぶ際に重要な決め手となるに違いない。近未来には、食品の安全性は、味や新鮮さといった従来からの選定基準と共に、商品の差異化の重要なアイテムになるに違いない。遺伝子組み換えでない作物、低農薬の穀物、抗生物質を食べさせていないニワトリや魚、草だけで育てた肉牛、等々が、相応の高価で売れるようになれば、中小の農家が多国籍企業の農業資本と太刀打ちできるようになるだろう。

消費者が賢くなれば、表示は自由にさせておいても問題はないが、消費者が賢くなるまでは、なるべく細かい表示義務を課すべきだ、との考えももちろんある。たとえば、現在、EUは遺伝子組み換え作物を使ったすべての食品・飼料の表示を義務づけると共に、加工品についても、製造の全過程を記録し、生産農家まで分かる追跡可能性を義務づけている。日本では遺伝子組み換えの表示義務は一部の食品に限られ、追跡可能性は義務づけていない。

EUの方が進んでいるという意見もあるが、表示がないものは買わないということとを、消費者が徹底すれば、生産者はプラスの情報であれば表示をせざるを得なくなり、表示のないものはマイナスの情報だということになるわけだ。権力が強制的に表示義務を課すよりも、自主的に表示をすることにより、消費者と良心的な生産者が共に保護されれば、その方が社会としては成熟している。もっともそれには消費者が賢くなる必要がある。法的な強制力を行使しなくとも首尾よくいけば、その方がよいに決まっている。但《ただ》しウソの表示をした者には、懲役刑を含む厳しい処罰と市場への参入を一定期間禁止するぐらいの措置をとる必要があるのは言うまでもない。自己決定と自己責任は、正しい情報のない所では、画にかいた餅《もち》にすぎないのだから。

消費者の保護を、権力による商品の安全基準や表示義務の画一化によって行っているうちは、真に自由で多様性の高い社会を達成することはできないと私は思う。消費者は、自己責任により、アホな物を買ったり、少々危険なものを食べる権利があるのだから。まあ、しかし、そういう社会が来る前に人類が滅亡する可能性の方が高そうだけどね。

ところで、情報公開が最も進んでいない分野は医療である。医療がパターナリズムの温床であることを考えれば、それもうなずける。医療に関する情報を理解するには、かなり高度の専門的な知識が必要だから、多くの人は、何でもお医者様におまかせします、ということになりがちだ。インフォームド・コンセントなどといっても、実は医者が裁判になった時の予防のためにやっているようなもので、実際の所、きちんと理解して納得している患者は稀《まれ》かもしれない。

しかし、そのことは医者が情報を隠蔽してよいことにはならない。医療も当然一種の商品で、原則的には患者に選択権があるわけだから、究極の自由社会では、医者になるには資格はいらないし、情報を公開するもしないも医者の自由でよいわけだ(偽りの情報を流すのは犯罪だ)。ところが、今現在の状況を考えれば判《わか》るように、事実上、患者に医者の選択権はほとんどない。こういう状況で、完全自由社会の原則を適用すると、患者に著しい不利益をもたらすことは明らかだ。

過渡期ということであれば、医者に対して、患者本人にカルテのコピーを渡すこと、検査結果や使用した薬品名をはっきりと知らせること、等を義務づけるのは仕方がないであろう。それと同時に、医者からの情報をわかり易《やす》く説明するサービスも必要であろう。このサービスは民間で有料で成立すれば一番よいが、自己決定、自己責任という考えが稀薄《きはく》な社会では無理かもしれないね。いくら正確で詳細な情報をもらっても、患者がバカでは猫に小判みたいなものだから。

もう少し社会が成熟すれば、病院や医者の格付けを専門にする商売も成立するだろう。患者の大半が賢くなれば、無能な医者は淘汰《とうた》されるだろうから、徐々に医者の水準も上がっていくだろう。しかし、それまでは、近藤誠が主張するように、医者になって一定の期間が過ぎたら、国家試験を再受験させるとか、重大な医療事故を起こした医者の免許を取り消すとかの制度の導入も必要かもね。しかし、これじゃ、パターナリズムへ逆戻りだね。

患者が賢くならなければ、結局、医療は良くならないということで、患者の皆さん、賢くなりましょうね。

個人情報の保護と差別

スタート時点での平等を含めて原則平等な社会では、一世代限りの結果不平等は許容されるという話はすでにした。様々な個性や様々な能力を持っている人が、自由競争をすれば、結果に様々な差がつくのはやむを得ないし、みんな同じでは世の中つまらない。大金持ちになってうれしい人もいれば、ひっそりと生きて満足な人もいる。それでよいのである。

個性や能力も実は結果であって、あらかじめわからない所がミソなのである。生まれた時からノーベル賞を約束されている人はいないし、生まれつき百歳まで生きることを約束されている人もいない。実際には、個性や能力はある程度遺伝するから、ある確率で予想することはできる。しかし、オヤジもオフクロも東大の卒業生だからといって、子が生まれた時から、東大への入学が許可されているとしたら、それは問題であろう。

人には様々な個人情報がある。個人情報を保護しなければならないのは、プライバシーを守りたいというどちらかというと情緒的な理由もさることながら、親の職業や出自などによって、能力を試されることなく、最初から競争に参加させてもらえなくなる恐れがあるからだ。たとえば、親が殺人犯だとして、大学への入学を拒否されたり、公務員になれなかったりするとしたら、原則平等とは言えないことになる。

個人情報といっても、電話番号や住所といったものは変更可能である。あるいはeメールのアドレスや様々なカードの番号も、変更可能だし、いざとなったら廃棄することもできる。しかし、変更不可能な個人情報を誰かに知られて、公正な競争に参加させてもらえないとしたら、原則平等は保たれない。部落民や在日韓国人などといった理由で、就職や結婚を妨げられるとしたら、大きな問題であろう（実際、そういうことはあったのであり、今もあるかもしれない）。

しかし、関係者は怒るかもしれないが、これらの問題は徐々に過去のことになりつつある。将来、必ずや大きな問題になるのは、個人の遺伝子情報をどう保護するかということであろう。現時点でも遺伝子を調べれば、たとえば、ハンチントン病が将来発症するかどうかわかる。片親のどちらかが、この病気だとすると、子がこの病気の遺伝子を受け継ぐ確率は五十パーセントである。ハンチントン病は中年になってから発病して、致死率は百パーセント、現在の所治療の方法はない。脳が冒されて悲惨な最期《さいご》を迎えると言われている。

もし、あなたが絶世の美女に惚《ほ》れて、結婚を決意したとしよう。あなたが、ハンチントン病のことを知っていて、この女の人の父親がハンチントン病で死んだことを、たまたま知ってしまったとしよう。さて、あなたはどうするか。ハンチントン病が遺伝するということがわからなかった昔であれば、父親が脳の病気で死んだぐらいでは、絶世の美女との結婚をあきらめたりしないだろう。ハンチントン病がほぼ五十パーセントの確率で発病することがわかっていても、遺伝子診断をする方法がなければ、未来のことは神のみぞ知るといって、清水の舞台から飛び降りるつもりで、結婚してしまうという選択をする可能性はあるだろう。何といっても絶世の美女なんだから。

しかし、遺伝子診断をすれば、将来発病するかどうか確実にわかるという技術があることを、あなたが知ったならば、清水の舞台から飛び降りるかどうかは微妙であろう。もしかしたら、遺伝子診断をしてくれたらと思うかもしれない。シロならば、もちろん百パーセント結婚へ向かってゴーである。しかし、もしクロだったらどうするのか。残念ながら結婚できないと女の人に通告するか。あるいは、それでも結婚するか。

後者の選択をしたことを、もしマスコミが知ったら、世紀の美談として報道したくてウズウズするに違いない（本人の同意を得ずに、報道してしまったら、それこそ個人情報保護に反することになる）。さしずめ、愛はハンチントン病を超えて、ということになろう。ということは、普通の人は、ハンチントン病の遺伝子を持っている人とは結婚しないだろう、ということでもある。

ところで、遺伝子を調べてシロだったら結婚して、クロだったら結婚しないのは、差別なのか否《いな》か。クロだと判《わか》って結婚しなかったあなたは、差別主義者として非難されるべきなのか否か。これは微妙な問題だ。個人の選択の自由は保証されなければならないからだ。どんな理由であれ、結婚したくない人と無理矢理結婚させられるいわれはない。

もしかしたら、シロだから結婚へゴーとはしゃいでいるあなたを尻目《しりめ》に、絶世の美女はあなたと別れると言い出さないとも限らない。むしろ、その確率の方が高いと思う。シロでよかったという安堵《あんど》からしばらく経《た》ってみれば、女の方は、病気でない私となら結婚し、病気の私とは結婚しないと考えたあなたを許せない気分になるに違いないからだ。何といっても絶世の美女なのだから、シロだと判れば結婚相手はいくらでもいるだろう。

結婚の話は個人の選択の問題だから、様々な情報を総合して決断をすることは許されるだろう。むしろ、遺伝子情報を本人が知っていて、隠して結婚して、あとでバレた時の方が、話はややこしくなるかもしれない。問題は遺伝子情報による公的な差別である。遺伝子診断をした病院から、個人の遺伝子情報が流出してしまったら、これは大きな問題である。たとえば、遺伝子情報が生命保険の会社に流れたとする。生命保険会社は、将来ハンチントン病になったり、がんになったりするリスクの高い人を契約者から排除しようとするか、特別に高い保険料を取ろうとするだろう。これは許されるのか否か。

一般的に言えば、許されないと考えるのが普通だろう。原則平等が保たれないからだ。それはよろしい。しかし、バレてしまった後では、いやがる保険会社を説得して契約をさせるには、様々な法的な整備をしなくてはならず、なかなか大変だろう。それで、遺伝子情報の管理を厳重にする必要があり、情報の漏洩《ろうえい》に対しては、厳しい処罰をする必要がある。これは当然そうなるだろう。ハンチントン病のように治療法がない遺伝病の場合は、そもそも遺伝子診断をしない方が賢いと思う。しかし、遺伝性の乳がんとか大腸がんの場合、あらかじめ知っていれば延命効果のある治療法が期待できる。

こういう場合は、遺伝子情報をコンピュータが管理しているのと違って、少くとも担当の医者は知っているのだから、情報はまた異なる経緯で漏れるかもしれない。コンピュータではなく、顔の見える個人が、相手の遺伝子情報を知った場合、守秘義務をどこまで負わせるのか、守秘義務違反に対して、どれだけ強い罰則を科すのかはめんどうな問題である。医療関係者に守秘義務があるのは当然として、先のハンチントン病の例のように、配偶者や恋人(別れた人も含めて)、親や子や兄弟にどれだけの守秘義務を負わせるかは微妙な問題であろう。

マイナスの遺伝子情報を、進学や就職や保険の際の差別に使ってはいけない、と決めることは（漏洩事件は跡を絶たないとは思うけれど）、理念的には簡単である。むしろ、めんどうなのはプラスの遺伝子情報を、本人が自分の利益のために使うのを許すかどうかであろう。遺伝子診断の結果を、本人だけは知る権利があると考えるのは普通であろうから、たとえば、近い将来死ぬ確率が高いと判断した人は、妻子のために高額の生命保険に入るかもしれない。

こういう人が増えると、保険会社はもうからない。契約者の遺伝子情報を知ることができないとすると、保険料を上げる他はない。保険料が余り高額になると、遺伝子診断によって、リスクが少いことを知った人は、生命保険を解約してしまうかもしれない。すると、保険料は益々高額になり、リスクの少い人は、益々保険を解約してしまうだろう。

こういう事態は、リスクの少い人にとっても、実は困るのである。高い保険料を払うか、やめるかの選択しかなくなってしまうから。そこで保険会社は一計を案じて、リスクが少い証拠を見せてくれた人には、それに応じて保険料を値引きすると提案したとする。契約者が自分の遺伝子情報を自主的に特定の人に見せるわけだから、その行為を処罰の対象にするのは難しいだろう。

保険会社の方でも、契約者の遺伝子情報を保険料の算定以外の目的に使わないし、守秘義務も守る。場合によっては保険料の額も秘密にする、といった契約を顧客との間に交わすだろう。守秘義務に違反した場合は高額の違約金を払うという保険会社も現われるかもしれない。こういった形式の契約を法律で処罰するのは、自己決定、自己責任の原則に照らせば、困難という他はない。

何が問題なのか。何の問題もないと考える人はノウテンキであろう。マイナスの遺伝子情報を有している人は、結果的に高い保険料を支払わざるを得なくなり、これはマイナスの遺伝子情報をもとに差別をすることと、実質的には同じになってしまうだろう。あるいは、もっと積極的に、自分のプラスの遺伝子情報をアピールして、進学や就職や結婚の際のプラス・アイテムに使おうとする人も出てくるかもしれない。ケイバ馬じゃないんだから、努力もしないで、プラスの遺伝子情報だけで、スタート時点から有利になるのは、原則平等を宗《むね》とする自由競争社会にとって、決して好ましいことではない。

しかし、自分に関する情報をどう使おうと自分の勝手という、一見当たり前の原則を守ると、どうしてもそういう話になって来ざるを得ない。ひとつの考えは、治療可能な病気に関する以外の遺伝子情報は、たとえ本人といえども知らせない、と決めてしまうことである。原則平等を守るためには、自分のことを知る権利といえども制限される、という相当過激な提案である。もうひとつは、遺伝子情報も、本人の顔かたちや、スタイルや、知能、等々と同じ能力なのだから、本人が管理したいと言えば仕方がないと割り切ってしまうことである。これは結局、遺伝子による差別を容認することにつながり、私としては面白くない。

将来、胚《はい》の遺伝子を差し換えることができるようになれば、マイナスの遺伝子情報をもつ人はほとんどいなくなってしまう事態も予想され、そうなってはじめて問題は解決されるのかもしれない。そうなってもやっぱり、私としては面白くないな。ヘソ曲がりもいる。天邪鬼《あまのじやく》もいる。人間嫌いもいる。無闇《むやみ》にお人好《ひとよ》しの奴《やつ》もいれば、他人と余りつき合いたくない奴もいれば、ヘンタイもいる。そういうすべての人にとって等しく住み良い社会を作りたいという、私の構想は、所詮《しよせん》は見果てぬ夢なのかもしれないが、一歩でもそれに近づくことは可能だと信じたい。

文庫版あとがき

二〇〇二年の秋に本書を単行本として出版して以来三年半の歳月が流れた。その間に小泉自民党は大勝したが、世は偽装と偽計と捏造《ねつぞう》のオンパレードで、栄華を極めたホリエモンは一夜にして奈落の底に転落した。まことにこの世は無常である。世の無常を尻目《しりめ》に、さいふの中身は常にからっぽだ、とお嘆きの方も多いと思う。やれ自由化だの自己責任だのといった標語にだまされて、小泉を担《かつ》いではみたものの、貧乏人には益々《ますます》貧乏になる自由しか残されていないようである。

それでも死ぬまでは生きなければならない。よほどの資産家でない限り、つき合いたくない他人ともつき合わざるを得ない。特に今日びフリーターの働き口はサービス産業がほとんどであるから、他人とつき合うのが苦手という人には生きづらい。今後、貧富の差は益々拡大していくであろうから、この傾向にも拍車がかかるに違いない。そんな折に本書が文庫化されるのも因縁めいた気がしないでもない。

ついこの最近『環境問題のウソ』（ちくまプリマー新書）と題する本を出版した。帯に「京都議定書を守るニッポンはバカである！」といささか刺激的な文言を書きつけたら、案の定、地球温暖化防止のために努力をしている人に失礼だ、と言っている人がいると人伝《ひとづて》に聞いた。あんな不真面目《ふまじめ》な本を書いて定価の十パーセントも印税をもらうなんて許せない、と言っているそうである。

真面目より不真面目の方がエラいのだということがわからない人には何を言ってもはじまらないが、ヒトラーだって東条英機だって真面目の上に超がつく真面目人間だったのだから、戦争をしたり人殺しをしたりするのは真面目な人に決まっているのだ。

何であれ、自らの情緒のみを正義だと信じている人は度し難い。人は生まれてから死ぬまで多数派でいることはできないのに。多くの人々が少数派の情緒に寛容になれば、世界はずいぶん平和になるだろうと思う。とはいっても、人は多数派でいる限り、少数派の情緒を理解することは難しいのかもしれない。せめて、本書を読んだ少数派の人が少しでも元気を出してくれれば、著者としてはさしあたってそれ以上の望みはない。

二〇〇六年二月

池田清彦

※この作品は平成十四年十一月新潮社より刊行された。

他人《たにん》と深《ふか》く関《かか》わらずに生《い》きるには

新潮文庫　い－75－2

平成十八年五月一日発行

著者　池《いけ》田《だ》清《きよ》彦《ひこ》

発行者　佐藤隆信

発行所　株式会社　新潮社

郵便番号　一六二—八七一一
東京都新宿区矢来町七一
電話　編集部(〇三)三二六六—五四四〇
読者係(〇三)三二六六—五一一一
http://www.shinchosha.co.jp

価格はカバーに表示してあります。

乱丁・落丁本は、ご面倒ですが小社読者係宛ご送付ください。送料小社負担にてお取替えいたします。

印刷・株式会社三秀舎　製本・株式会社大進堂

ISBN4-10-103522-9 C0195